GW00986785

Elizabeth Hawes.

COLLECTION FOLIO

Romain Gary

Les oiseaux vont mourir au Pérou

Gloire à nos illustres pionniers

Gallimard

Romain Gary, pseudonyme de Romain Kacew, né à Moscou en 1914, est élevé par sa mère qui place en lui de grandes espérances, comme il le racontera dans *La promesse de l'aube*. Pauvre, « cosaque un peu tartare mâtiné de juif », il arrive en France à l'âge de quatorze ans et s'installe avec sa mère à Nice. Après des études de droits, il s'engage dans l'aviation et rejoint le Général de Gaulle en 1940. Son premier roman, *Éducation européenne*, paraît avec succès en 1945 et révèle un grand conteur au style rude et poétique. La même année, il entre au Quai d'Orsay. Grâce à son métier de diplomate, il séjourne à Sofia, La Paz, New York, Los Angeles. En 1948, il publie *Le grand vestiaire* et reçoit le prix Goncourt en 1956 pour *Les racines du ciel*. Consul à Los Angeles, il épouse l'actrice Jean Seberg, écrit des scénarios et réalise deux films. Il quitte la diplomatie en 1961 et écrit *Les oiseaux vont mourir au Pérou* (*Gloire à nos illustres pionniers*) et un roman humoristique, *Lady L.* avant de se lancer dans de vastes sagas : *La comédie américaine* et *Frère Océan*. Sa femme se donne la mort en 1979 et les romans de Gary laissent percer son angoisse du déclin et de la vieillesse : *Au-delà de cette limite votre ticket n'est plus valable, Clair de femme, Les cerfs-volants*. Romain Gary se suicide à Paris en 1980, laissant un document posthume où il révèle qu'il se dissimulait sous le nom d'Émile Ajar, auteur de romans à succès : *Gros-Câlin, L'Angoisse du Roi Salomon* et *La vie devant soi*, qui a reçu le prix Goncourt en 1975.

L'homme — mais bien sûr, mais comment donc, nous sommes parfaitement d'accord : un jour il se fera! Un peu de patience, un peu de persévérance : on n'en est plus à dix mille ans près. Il faut savoir attendre, mes bons amis, et surtout voir grand, apprendre à compter en âges géologiques, avoir de l'imagination : alors là, l'homme ça devient tout à fait possible, probable même : il suffira d'être encore là quand il se présentera. Pour l'instant, il n'y a que des traces, des rêves, des pressentiments... Pour l'instant, l'homme n'est qu'un pionnier de lui-même. Gloire à nos illustres pionniers!

Sacha Tsipotchkine,
dans *Promenades sentimentales au clair de lune.*

Les oiseaux vont mourir au Pérou

Il sortit sur la terrasse et reprit possession de sa solitude : les dunes, l'Océan, des milliers d'oiseaux morts dans le sable, un canot, la rouille d'un filet, avec parfois quelques signes nouveaux : la carcasse d'une baleine échouée, des traces de pas, un chapelet de barques de pêche au lointain, là où les îles de guano luttaient de blancheur avec le ciel. Le café se dressait sur pilotis au milieu des dunes; la route passait à cent mètres de là : on ne l'entendait pas. Une passerelle en escalier descendait vers la plage; il la relevait chaque soir, depuis que deux bandits échappés de la prison de Lima l'avaient assommé à coups de bouteille pendant qu'il dormait : le matin, il les avait retrouvés ivres morts dans le bar. Il s'accouda à la balustrade et fuma sa première cigarette en regardant les oiseaux tombés sur le sable : il y en avait qui palpitaient encore. Personne n'avait jamais pu lui expliquer pourquoi ils quittaient les îles du large pour venir expirer sur cette plage, à dix kilomètres au nord de Lima : ils n'allaient jamais ni plus au nord ni plus au sud, mais sur cette étroite bande de sable longue de trois kilomètres exactement. Peut-être était-ce pour eux un lieu sacré comme Bénarès aux Indes, où les fidèles vont rendre l'âme : ils venaient jeter leur carcasse ici avant de s'envoler vraiment. Ou peut-être volaient-ils simplement en ligne droite des îles de guano qui étaient des rochers nus et froids alors que le sable était doux et chaud lorsque leur sang commençait à se glacer et qu'il leur restait juste assez de forces pour tenter la traversée. Il faut s'y résigner : il y a toujours à tout une explication scientifique. On peut évidemment se réfugier dans la poésie, se lier d'amitié avec l'Océan, écouter sa voix, continuer à croire aux mystères de la nature. Un peu poète, un peu rêveur... On se réfugie au Pérou, au pied des Andes, sur une plage où tout finit, après s'être battu en Espagne, dans le maquis en France, à Cuba, parce qu'à quarante-sept ans on a tout de même appris sa leçon et qu'on n'attend plus rien ni des belles causes ni des femmes : on se console avec un beau paysage. Les paysages vous trahissent rarement. Un peu poète, un peu rê... La poésie sera du reste expliquée un jour scientifiquement, étudiée comme un simple phénomène sécrétoire. La science avance triomphalement sur l'homme de tous les côtés. On devient propriétaire d'un café sur les dunes de la côte péruvienne, avec seulement l'Océan comme compagnie, mais à cela aussi il y a une explication : l'Océan n'est-il pas l'image d'une vie éternelle, la promesse d'une survie, d'une ultime consolation? Un peu poète... Il faut espérer que l'âme n'existe pas : la seule façon pour elle de ne pas se laisser prendre. Les savants en calculeront bientôt la masse exacte, la consistance, la vitesse ascensionnelle... Quand on pense à tous les milliards d'âmes envolées depuis le début de l'Histoire, il y a de quoi pleurer : une prodigieuse source d'énergie gaspillée : en bâtissant des barrages pour les capter au moment de leur ascension, on aurait eu de quoi éclairer la terre entière. L'homme sera bientôt entièrement utilisable. On lui a déjà pris ses plus beaux rêves pour en faire des guerres et des prisons. Dans le sable, certains oiseaux étaient encore debout : les nouveaux venus. Ils regardaient les îles. Les îles, au large, étaient couvertes de guano : une industrie très profitable, et le rendement d'un cormoran en guano au cours de son existence peut faire vivre une famille entière pendant le même laps de temps. Ayant accompli ainsi leur mission sur terre, les oiseaux venaient ici pour mourir. Tout compte fait, il pouvait dire qu'il avait lui aussi accompli sa mission : la dernière fois, dans la Sierra Madre, avec Castro. Le rendement en idéalisme d'une belle âme peut faire vivre un régime policier pendant le même laps de temps. Un peu poète, voilà tout. On ira bientôt dans la lune, et il n'y aura plus de lune. Il jeta sa cigarette dans le sable. Un grand amour peut naturellement arranger tout cela, pensa-t-il moqueusement, avec une assez forte envie de crever. La solitude le prenait ainsi parfois le matin, la mauvaise solitude : celle qui vous écrase au lieu de vous aider à respirer. Il se pencha vers la poulie, saisit la corde, baissa la passerelle et rentra se raser, regardant comme chaque matin son visage avec surprise dans le miroir : « Je n'ai pas voulu cela ! » se dit-il comiquement. Avec tous ces cheveux gris et les rides, on voyait très bien ce que cela allait donner dans un an ou deux : il ne vous resterait plus qu'à vous réfugier dans le genre distingué. Le visage était long, mince, avec des yeux fatigués et un sourire ironique qui faisait ce qu'il pouvait. Il n'écrivait plus à personne, ne recevait plus de lettres, ne connaissait personne : il avait rompu avec les autres, comme toujours lorsqu'on essaie en vain de rompre avec soi-même.

On entendait les cris des oiseaux de mer : un banc de poissons devait passer près du rivage. Le ciel était tout blanc, les îles, au large, commençaient à jaunir au soleil, l'Océan sortait de sa grisaille laiteuse, les phoques aboyaient près de la vieille jetée écroulée derrière les dunes.

Il mit le café à chauffer et retourna sur la terrasse. Il remarqua pour la première fois au pied d'une dune, à droite, un squelette humain couché à plat ventre, endormi, le visage dans le sable, une bouteille à la main, à côté d'un corps recroquevillé, vêtu seulement d'un slip et peint des pieds à la tête de bleu, de rouge et de jaune, et d'un nègre gigantesque, étendu sur le dos, coiffé d'une perruque blanche Louis XV, vêtu d'un habit de cour bleu, d'une culotte de soie blanche, et pieds nus : la dernière vague du carnaval qui venait finir ici sur le sable. Des figurants, décida-t-il : la municipalité leur fournissait les costumes et les payait cinquante sols par nuit. Il tourna la tête à gauche, vers les cormorans qui flottaient comme une colonne de fumée blanche et grise au-dessus du banc de poissons, et l'aperçut. Elle portait une robe couleur d'émeraude, tenait une écharpe verte à la main, et avançait vers les brisants, traînant l'écharpe dans l'eau, la tête rejetée en arrière, les cheveux défaits sur ses épaules nues. L'eau lui arrivait à la taille, et elle chancelait parfois lorsque l'Océan venait trop près : les vagues se brisaient à vingt mètres à peine devant elle, le jeu commençait à être dangereux. Il attendit une seconde encore, mais elle ne s'arrêtait pas et avançait toujours, et l'Océan se dressait déjà lentement dans un mouvement félin, à la fois lourd et souple : un bond, et ce serait fini. Il descendit l'escalier, courut vers elle, sentant parfois un oiseau sous ses pieds, mais la plupart étaient déjà morts, ils mouraient toujours la nuit. Il crut qu'il allait arriver trop tard : une vague plus forte que les autres et les ennuis commenceraient, téléphoner à la police, répondre aux questions. Il l'atteignit enfin, la saisit par le bras : elle tourna vers lui son visage, et l'eau les recouvrit un instant tous les deux. Il garda son bras étroitement serré dans sa main et commença à la traîner vers la plage. Elle se laissa faire. Il marcha un instant sur le sable sans se retourner, puis s'arrêta. Il hésita un moment avant de la regarder : on avait parfois de mauvaises surprises. Mais il ne fut pas déçu. Un visage d'une finesse extrême, très pâle, et des yeux très sérieux, très grands, parmi des gouttelettes d'eau qui leur allaient bien. Elle portait un collier de diamants autour du cou, des boucles d'oreilles, des bagues, des bracelets. Elle tenait toujours son écharpe verte à la main. Il se demanda ce qu'elle faisait là, d'où elle venait, avec ses ors et ses diamants et ses émeraudes, debout à six heures du matin sur une plage perdue parmi les oiseaux morts.

— Il fallait me laisser, dit-elle en anglais.

Son cou avait une fragilité étonnante et une pureté de ligne qui rendait au collier de diamants toute sa lourdeur de pierre et le privait de son éclat. Il tenait encore son poignet dans sa main.

— Vous me comprenez ? Je ne parle pas l'espagnol.

— Encore quelques mètres, et vous étiez emportée par le courant. Il est très fort, ici.

Elle haussa les épaules. Elle avait un visage d'enfant, où les yeux prenaient toute la place. Un chagrin d'amour, décida-t-il. C'est toujours un chagrin d'amour.

— D'où viennent tous ces oiseaux ? demanda-t-elle.

— Il y a des îles au large. Des îles de guano. Ils vivent là-bas et viennent mourir ici.

— Pourquoi ?

— Je ne sais pas. On donne toutes sortes d'explications.

— Et vous ? Pourquoi êtes-vous venu ici ?

— Je tiens ce café. Je vis ici.

Elle regardait les oiseaux morts à ses pieds.

Il ne savait pas si elle pleurait, ou si c'étaient les gouttes d'eau qui coulaient sur ses joues. Elle regardait toujours les oiseaux dans le sable.

— Il doit y avoir tout de même une explication. Il y en a toujours une.

Elle tourna les yeux vers la dune où le squelette, le sauvage peinturluré et le nègre en perruque et habit de cour dormaient dans le sable.

— C'est le carnaval, dit-il.

— Je sais.

— Où avez-vous laissé vos souliers ?

Elle baissa les yeux.

— Je ne me souviens plus... Je ne veux pas y penser... Pourquoi m'avez-vous sauvée ?

— Ça se fait. Venez.

Il la laissa un instant seule sur la terrasse, revint vite avec une tasse de café brûlant et du cognac. Elle s'assit à une table en face de lui, étudiant son visage avec une attention extrême, s'attardant à chaque trait, et il lui sourit et dit :

— Il doit y avoir tout de même une explication.

— Il fallait me laisser, dit-elle.

Elle se mit à pleurer. Il lui toucha l'épaule, bien plus pour se réconforter lui-même que pour l'aider.

— Ça s'arrangera, vous verrez.

— J'en ai assez, parfois. J'en ai assez. Je ne peux plus continuer ainsi...

— Vous n'avez pas froid ? Vous ne voulez pas vous changer ?

— Non, merci.

L'Océan commençait à faire du bruit : il n'y avait pas de marée, mais le ressac se faisait plus insistant vers cette heure. Elle leva les yeux.

— Vous vivez seul ?

— Seul.

— Est-ce que je pourrais rester ici ?

— Restez autant que vous voudrez.

— Je n'en peux plus. Je ne sais plus quoi faire...

Elle sanglotait. Ce fut à ce moment que ce qu'il appelait sa bêtise invincible le reprit, et bien qu'il en fût entièrement conscient, bien qu'il eût l'habitude de voir toujours tout s'effriter dans sa main, c'était ainsi, et il n'y avait rien à faire : il y avait en lui quelque chose qui refusait d'abandonner et qui continuait à mordre à tous les hameçons de l'espoir. Il croyait secrètement à un bonheur possible, caché au fond de la vie et qui viendrait soudain tout éclairer, à l'heure même du crépuscule. Une sorte de bêtise sacrée était en lui, une candeur qu'aucune défaite ni aucun cynisme n'étaient jamais parvenus à tuer, une force d'illusion qui l'avait mené des champs de bataille d'Espagne au maquis du Vercors et à la Sierra Madre de Cuba et vers les deux ou trois femmes qui viennent toujours vous réamorcer aux grands moments de renoncement, alors que tout paraît enfin perdu. Il avait pourtant fui jusqu'à cette côte péruvienne comme d'autres entrent à la Trappe, ou vont finir leurs jours dans une grotte de l'Himalaya ; il vivait au bord de l'Océan comme d'autres au bord du ciel : une métaphysique vivante, à la fois tumultueuse et sereine, une immensité apaisante qui vous dispense de vous-même chaque fois que vous la voyez. Un infini à portée de la main qui vient vous lécher les plaies et vous aide à renoncer. Mais elle était tellement jeune, tellement désemparée, elle le regardait avec une telle confiance et il avait vu tant d'oiseaux venir expirer sur ces dunes que l'idée d'en sauver un, le plus beau de tous, de le protéger, de le garder pour soi, ici, au bout du monde, et de réussir ainsi sa vie en fin de course lui rendit en un instant toute cette naïveté que son sourire ironique et son air désabusé s'efforçaient encore de cacher. Et il avait fallu pour cela si peu de chose. Elle avait levé les yeux vers lui et dit d'une voix d'enfant, et avec un regard implorant que les dernières larmes rendaient plus clair encore :

— Je voudrais rester ici, s'il vous plaît.

Il avait pourtant l'habitude : c'était la neuvième vague de solitude, la plus forte, celle qui arrive de très loin, du grand large, qui vous renverse et vous recouvre, et vous jette au fond, et puis soudain vous lâche, juste le temps qu'il faut pour vous permettre de remonter à la surface, les mains levées, les bras tendus, pour essayer de vous raccrocher à la première paille venue. La seule tentation que personne n'est jamais parvenu à vaincre : celle de l'espoir. Il hocha la tête, stupéfait de cette extraordinaire persistance de la jeunesse en lui : aux approches de la cinquantaine, son cas lui paraissait vraiment désespéré.

— Restez.

Il tenait sa main dans la sienne. Il remarqua pour la première fois qu'elle était entièrement nue sous sa robe. Il ouvrit la bouche pour lui demander d'où elle venait, qui elle était, ce qu'elle faisait là, pourquoi elle avait voulu mourir, pourquoi elle était toute nue sous sa robe du soir, un collier de diamants autour du cou, les mains couvertes d'or et d'émeraudes, et sourit tristement : c'était sans doute le seul oiseau qui pouvait lui dire pourquoi il était venu s'échouer sur ces dunes. Il devait y avoir une explication, il y en a toujours une, mais il suffisait de ne pas la connaître. La science explique l'univers, la psychologie explique les êtres, mais il faut savoir se défendre, ne pas se laisser faire, ne pas se laisser extorquer ses dernières miettes d'illusion. La plage, l'Océan et le ciel blanc s'éclairaient rapidement d'une lumière diffuse et du soleil invisible on ne percevait que ces teintes terrestres et marines qui s'animaient. Ses seins étaient entièrement visibles sous la robe mouillée, on sentait en elle une telle vulnérabilité, il y avait une telle innocence dans les yeux clairs, un peu agrandis et fixes, dans la tendresse de chaque mouvement d'épaule que le monde autour de vous paraissait soudain plus léger, plus facile à porter, qu'il devenait enfin possible de le prendre dans ses bras et de le porter vers un destin meilleur. Tu ne changeras jamais, Jacques Rainier, pensa-t-il moqueusement, pour essayer de se défendre contre ce besoin de protéger qui le prenait aux bras, aux épaules, aux mains.

— Mon Dieu, dit-elle, je crois que je vais mourir de froid.

— Par ici.

Sa chambre était derrière le bar, les fenêtres

donnaient aussi sur les dunes et sur l'Océan. Elle s'arrêta un instant devant la baie vitrée, il l'aperçut qui jetait un regard rapide et furtif vers la droite, et il tourna la tête du même côté : le squelette était accroupi au pied de la dune, en train de boire à la bouteille, le nègre en habit de cour dormait toujours sous la perruque blanche qui avait glissé sur ses yeux, l'homme au corps barbouillé de peinture bleue, rouge et jaune était assis, les genoux repliés, et regardait fixement une paire de souliers de femme à talons hauts qu'il tenait à la main. Il dit quelque chose, et se mit à rire. Le squelette s'arrêta de boire, tendit la main, ramassa dans le sable un soutien-gorge, le porta à ses lèvres, puis le jeta dans l'Océan. Il déclamait, à présent, une main sur le cœur.

— Vous auriez dû me laisser mourir, dit-elle. C'est tellement affreux.

Elle se cacha la figure dans les mains. Elle sanglotait. Il essaya une fois de plus de ne pas savoir, de ne pas demander.

— Je ne sais pas du tout comment c'est arrivé, dit-elle. J'étais dans la rue, dans la foule du carnaval, ils m'ont entraînée dans la voiture, ils m'ont emmenée ici, et puis... et puis...

C'est ainsi, pensa-t-il. Il y a toujours une explication : même les oiseaux ne tombent pas du ciel sans raison. Bon. Il alla chercher un peignoir de bain pendant qu'elle se déshabillait. Il regarda par la baie vitrée les trois hommes au pied de la dune. Il avait un revolver dans le tiroir de sa table de chevet, mais il renonça aussitôt à cette idée : ils finiront bien par mourir tout seuls, et avec un peu de chance, ce sera beaucoup plus pénible. L'homme peinturluré tenait toujours les souliers à la main : il semblait leur parler. Le squelette riait. Le nègre en habit de cour dormait sous sa perruque blanche. Ils étaient écroulés au pied de la dune, tournés vers l'Océan, parmi des milliers d'oiseaux morts. Elle avait dû hurler, se débattre, supplier, appeler au secours, et il n'avait rien entendu. Pourtant, il avait le sommeil léger : un battement d'aile d'une hirondelle de mer contre le toit suffisait à le réveiller. Mais le bruit de l'Océan avait dû couvrir sa voix. Les cormorans tournoyaient dans l'aube avec des cris rauques et plongeaient parfois comme des pierres vers le banc de poissons. Les îles du large se dressaient toutes droites au-dessus de l'horizon, blanches comme de la craie. Ils ne lui avaient pris ni sa rivière de diamants, ni les bagues, ils étaient vraiment désintéressés. Peut-être fallait-il tout de même les tuer, pour leur reprendre un peu, au moins, de ce qu'ils avaient pris. Quel âge pouvait-elle avoir : vingt et un ans, vingt-deux ans? Elle n'était pas venue à Lima toute seule, y avait-il un père, un mari ? Les trois hommes ne paraissaient pas pressés de partir. Ils ne paraissaient pas craindre la police, ils étaient tranquillement en train d'échanger leurs impressions au bord de l'Océan, les derniers débris d'un carnaval qui les avait comblés. Lorsqu'il revint, elle était debout au milieu de la pièce, luttant contre sa robe mouillée. Il l'aida à se déshabiller, l'aida à mettre le peignoir, la sentit un instant trembler et palpiter dans ses bras. Les bijoux étincelaient sur son corps nu.

— Je n'aurais pas dû quitter l'hôtel, dit-elle. J'aurais dû m'enfermer dans ma chambre.

— Ils ne vous ont pas pris vos bijoux, remarqua-t-il.

Il faillit ajouter : « Vous avez de la chance », mais dit seulement :

— Voulez-vous que je prévienne quelqu'un ?

Elle ne semblait pas écouter.

— Je ne sais plus quoi faire, dit-elle, non, vraiment. Je ne sais plus... Il vaut peut-être mieux que je voie un médecin.

— On s'occupera de ça. Allongez-vous. Mettez-vous sous la couverture. Vous tremblez.

— Je n'ai pas froid. Permettez-moi de rester ici.

Elle s'était allongée sur le lit, ramenant la couverture sous son menton. Elle le regardait attentivement.

— Vous ne m'en voulez pas, n'est-ce pas ?

Il sourit, s'assit sur le lit, caressa ses cheveux.

— Voyons, dit-il, tout de même...

Elle saisit sa main et la pressa contre sa joue, puis contre ses lèvres. Ses yeux étaient agrandis. Des yeux infinis, liquides, un peu fixes, aux reflets d'émeraude, comme l'Océan.

— Si vous saviez...

— N'y pensez plus.

Elle ferma les yeux, coucha sa joue dans sa main.

— Je voulais en finir, il faut que j'en finisse. Je

ne peux plus vivre. Je ne veux plus. Mon corps me dégoûte.

Elle avait toujours les yeux fermés. Ses lèvres frissonnaient un peu. Il n'avait jamais vu un visage aussi pur. Puis elle ouvrit les yeux, le regarda, comme on demande l'aumône :

— Je ne vous dégoûte pas ?

Il se pencha et l'embrassa sur les lèvres. Il avait l'impression d'avoir deux oiseaux captifs sous sa poitrine.

Il s'affola soudain. Un mélange de honte et de colère : mais on ne peut rien contre son sang. Il avait vu des gamins marcher sur le sable à la recherche d'oiseaux qui palpitaient encore pour les achever d'un coup de talon. Il en avait battu quelques-uns, mais voilà à présent que lui-même se laissait aller à l'appel de cette fragilité blessée, qu'il était en train de l'achever, qu'il se penchait sur ses seins, qu'il posait doucement ses lèvres sur les siennes. Il sentait ses bras autour de ses épaules.

— Je ne vous dégoûte pas, dit-elle solennellement.

Il essaya de lutter. C'était seulement la neuvième vague de solitude qui venait de crouler sur lui, mais il refusait de se laisser emporter. Il voulait seulement rester ainsi encore quelques secondes, le visage appuyé contre son cou, respirant sa jeunesse.

— Je vous en prie, dit-elle. Aidez-moi à oublier. Aidez-moi.

Elle ne voulait plus jamais le quitter. Elle voulait rester ici, dans cette baraque, dans ce café mal fréquenté au bout du monde. Son murmure était si pressant, il y avait dans ses yeux une telle supplication, une telle promesse dans ses mains fragiles qui le tenaient aux épaules, qu'il eut soudain l'impression d'avoir malgré tout réussi sa vie, au dernier moment. Il la tenait serrée contre lui, soulevant parfois sa tête doucement dans ses mains, cependant que les décennies de solitude revenaient soudain s'écraser sur ses épaules et que la neuvième vague le renversait et l'emportait avec elle vers le large.

— Je veux bien, murmura-t-elle. Je veux bien.

Lorsque la vague se retira, et qu'il se retrouva à nouveau sur le rivage, il sentit qu'elle pleurait. Il la laissa sangloter sans ouvrir les yeux et sans lever le front qu'il tenait appuyé contre sa joue, et il sentait à la fois ses larmes qui coulaient et son cœur qui battait contre sa poitrine. Puis il entendit des voix et un bruit de pas sur la terrasse. Il pensa aux trois hommes sur la dune, et se leva d'un bond pour aller chercher son revolver. Quelqu'un marchait sur la terrasse, les phoques aboyaient au loin, les oiseaux de mer criaient entre ciel et eau, une lame de fond s'écrasa sur la plage et couvrit toutes les voix, puis se retira, laissant seulement derrière elle un rire bref et triste et une voix qui disait en anglais :

— Enfer et malédiction, mon bon, enfer et malédiction, voilà le mot. Je commence à en avoir assez. C'est la dernière fois que je fais le tour du monde avec elle. Le monde est décidément trop peuplé.

Il entrouvrit la porte. Un homme en smoking, âgé d'une cinquantaine d'années, se tenait près de la table, appuyé sur une canne. Il jouait avec l'écharpe verte qu'elle avait laissée près de sa tasse de café. Il avait une petite moustache grise, des confetti sur les épaules, des mains qui tremblaient, des yeux bleus et mouillés, un teint d'alcoolique, un vague air distingué ou corrompu, des traits petits et imprécis que la fatigue brouillait encore davantage, des cheveux teints qui ressemblaient à une perruque ; il aperçut Rainier dans la porte entrebâillée et sourit ironiquement, regarda l'écharpe, puis leva à nouveau les yeux vers lui et son sourire s'accentua, moqueur, triste et rancunier ; à ses côtés, un homme jeune et beau en costume de toréador, les cheveux très noirs et lisses, baissait les yeux d'un air sombre, appuyé contre la poulie, une cigarette à la main. Un peu à l'écart, sur l'escalier de bois, une main sur la balustrade, se tenait un chauffeur en uniforme gris et casquette, un manteau de femme sur le bras. Rainier posa le revolver sur une chaise et sortit sur la terrasse.

— Une bouteille de scotch, s'il vous plaît, dit l'homme en smoking, en posant l'écharpe sur la table, *per favor...*

— Le bar n'est pas encore ouvert, dit Rainier en anglais.

— Eh bien, du café, alors, dit l'homme. Du café, en attendant que Madame finisse de s'habiller.

Il lui jeta un regard bleu et triste, se redressa un

peu, appuyé sur sa canne, le visage livide dans la lumière pâle, les traits figés dans une expression de rancune impuissante, cependant qu'une vague nouvelle faisait trembler la baraque sur ses pilotis.

— Les lames de fond, l'Océan, les forces de la nature... Vous êtes français, je crois? La voilà donc qui revient sur ses pas. Nous avons pourtant vécu en France près de deux ans, ça n'a rien donné, encore une réputation surfaite. Quant à l'Italie... Mon secrétaire, que vous voyez là, est très italien... Ça n'a rien donné non plus.

Le toréador regardait sombrement ses pieds. L'Anglais se tourna vers la dune où le squelette était étendu les bras en croix face au ciel, l'homme nu bleu, rouge et jaune, assis sur le sable, la tête en arrière, avait porté le goulot de la bouteille à ses lèvres, et le nègre en perruque blanche et habit de cour, debout, les pieds dans l'eau, avait déboutonné sa culotte de soie blanche et était en train d'uriner dans l'Océan.

— Je suis sûr qu'ils n'ont rien donné non plus, dit l'Anglais, avec un geste de la canne dans la direction de la dune. Il y a sur cette terre certaines prouesses qui dépassent les forces de l'homme. De trois hommes, devrais-je dire... J'espère qu'ils ne lui ont pas volé ses bijoux. Une fortune, et l'assurance n'aurait pas payé. Ils l'auraient accusée d'imprudence. Un jour, quelqu'un va lui tordre le cou. A propos, pouvez-vous me dire d'où viennent tous ces oiseaux morts? Il y en a des milliers. J'ai entendu parler des cimetières d'éléphants, mais les cimetières d'oiseaux... Une épidémie, peut-être?

Il doit tout de même y avoir une explication.

Il entendit la porte s'ouvrir derrière lui, mais ne bougea pas.

— Ah, vous voilà! dit l'Anglais, en s'inclinant légèrement. Je commençais à m'inquiéter, ma chérie. Il y a quatre heures que nous patientions dans la voiture, en attendant que ça se passe, et nous sommes tout de même un peu au bout du monde, ici... Un malheur est vite arrivé.

— Laissez-moi. Allez-vous-en. Taisez-vous. Je vous en prie, laissez-moi. Pourquoi êtes-vous venus?

— Ma chérie, une appréhension tout à fait naturelle...

— Je vous déteste, dit-elle, vous me dégoûtez. Pourquoi me suivez-vous ? Vous m'avez promis...

— La prochaine fois, ma chérie, laissez tout de même les bijoux à l'hôtel. Ça vaut mieux.

— Pourquoi cherchez-vous toujours à m'humilier ?

— Je suis le premier humilié, ma chérie. Tout au moins, selon les conventions en vigueur. Nous sommes au-dessus de ça, bien entendu. *The happy few*... Mais cette fois, vous êtes allée vraiment un peu trop loin. Je ne parle pas de moi! Je suis prêt à tout, vous le savez. Je vous aime. Je vous l'ai prouvé suffisamment. Mais enfin, il aurait pu vous arriver quelque chose... Tout ce que je vous demande, c'est un peu plus de... discrimination.

— Et vous êtes saoul. Vous êtes encore saoul.

— C'est uniquement de désespoir, ma chérie. Quatre heures dans la voiture, toutes sortes de pensées... Vous reconnaîtrez que je ne suis pas l'homme le plus heureux de la terre.

— Taisez-vous. Oh! mon Dieu, taisez-vous!

Elle sanglotait. Rainier ne la voyait pas, mais il était sûr qu'elle se fourrait les poings dans les yeux : c'étaient des sanglots d'enfant. Il essayait de ne pas penser, de ne pas comprendre. Il voulait entendre seulement l'aboiement des phoques, le cri des oiseaux de mer, le grondement de l'Océan. Il se tenait immobile parmi eux, les yeux baissés, et il avait froid. Ou peut-être seulement avait-il la chair de poule.

— Pourquoi m'avez-vous sauvée ? cria-t-elle. Il fallait me laisser. Une vague, et c'était fini. J'en ai assez. Je ne peux plus continuer ainsi. Il fallait me laisser.

— Monsieur, dit l'Anglais avec emphase, comment vous exprimer ma gratitude ? Notre gratitude, devrais-je dire. Permettez-moi, au nom de nous tous... Nous vous serons tous éternellement reconnaissants... Allons, ma chérie, venez. Je vous assure, je ne souffre plus... Quant au reste... Nous irons voir le professeur Guzman, à Montevideo. Il paraît qu'il a obtenu des résultats miraculeux. N'est-ce pas, Mario ?

Le toréador haussa les épaules.

— N'est-ce pas, Mario ? Un très grand homme, un authentique guérisseur... La science n'a pas dit son dernier mot. Il a écrit tout ça dans son livre. N'est-ce pas, Mario ?

— Oh, ça va, dit le toréador.

— Rappelle-toi la femme du monde qui ne

réussissait vraiment qu'avec des jockeys pesant cinquante-deux kilos exactement... Et celle qui exigeait toujours que l'on frappât à la porte, pendant, trois coups brefs, un long. L'âme humaine est insondable. Et la femme du banquier qui attendait toujours la sonnerie d'alarme du coffre-fort pour se déclencher, et qui se trouvait ainsi dans une situation sans nom, puisque cela réveillait le mari...

— Oh, ça va, Roger, dit le toréador. Ce n'est pas drôle. Vous êtes saoul.

— Et celle qui ne parvenait à des résultats intéressants qu'en pressant en même temps ardemment un revolver contre sa tempe ? Le professeur Guzman les a toutes guéries. Il raconte tout ça dans son livre. Elles sont toutes devenues d'excellentes mères de famille, ma chérie. Il n'y a pas lieu de se décourager.

Elle passa à côté de lui, sans le regarder. Le chauffeur lui mit respectueusement le manteau sur les épaules.

— Et puis, quoi, Messaline était comme ça aussi. C'était pourtant une impératrice.

— Roger, ça suffit, dit le toréador.

— Il est vrai que la psychanalyse n'existait pas encore. Le professeur Guzman l'aurait sûrement guérie. Allons, ma petite reine, ne me regardez pas ainsi. Rappelle-toi, Mario, la jeune femme un peu boudeuse qui ne pouvait rien faire tant qu'un lion ne rugissait pas à côté dans une cage ? Et celle dont le mari devait toujours jouer, d'une main, *l'Après-midi d'un faune ?* Je suis prêt à tout, ma chérie. Mon amour n'a pas de limites. Et celle qui descendait toujours au Ritz pour pouvoir regarder au bon moment la colonne Vendôme? Insondable et mystérieuse est l'âme humaine! Et celle, toute jeunette, qui, ayant passé sa lune de miel à Marrakech, ne pouvait plus se passer du chant du muezzin? Et celle, enfin, jeune mariée à Londres pendant le blitz, qui demandait toujours, depuis, à son mari d'imiter alors le sifflement d'une bombe? Elles sont toutes devenues d'excellentes mères de famille, ma chérie.

Le jeune homme en costume de toréador s'approcha de l'Anglais, et lui donna une gifle. L'Anglais pleurait.

— Ça ne peut pas continuer ainsi, dit-il.

Elle descendait l'escalier. Il la vit qui marchait pieds nus dans le sable, parmi les oiseaux morts. Elle tenait son écharpe à la main. Il voyait son profil d'une pureté à laquelle ni la main de l'homme ni celle de Dieu n'auraient rien pu ajouter.

— Allons, Roger, calmez-vous, dit le secrétaire.

L'Anglais prit le verre de cognac qu'elle avait laissé sur la table et le vida d'un trait. Il posa le verre. Il prit dans son portefeuille un billet, et le posa dans la soucoupe. Puis il regarda fixement les dunes et soupira.

— Tous ces oiseaux morts, dit-il. Il doit y avoir une explication.

Ils s'en allèrent. Au sommet de la dune, avant de disparaître, elle s'arrêta, hésita, se retourna. Mais il n'était plus là. Il n'y avait personne. Le café était vide.

Le luth

Grand, mince, de cette élégance qui va si bien avec des mains longues et délicates, aux doigts qui semblent toujours suggérer toute une vie d'intimité avec les objets d'art, les pages d'une édition rare ou le clavier d'un piano, l'ambassadeur comte de N... avait passé toute sa carrière dans des postes importants, mais froids, loin de cette Méditerranée qu'il poursuivait d'une passion tenace et un peu mystique, comme s'il y avait entre lui et la mer latine quelque lien intime et profond. Ses collègues du corps diplomatique d'Istanbul lui reprochaient une certaine raideur, qui paraissait s'accorder assez mal avec son goût de la lumière et de la douceur italiennes, qu'il avouait du reste rarement, et aussi son manque de liant ; les plus perspicaces ou les plus indulgents y reconnaissaient la marque d'une sensibilité excessive ou même d'une vulnérabilité que les bonnes manières ne suffisent pas toujours à protéger. Et peut-être n'y avait-il dans son amour de la Méditerranée qu'une sorte de transfert, et qu'il donnait au ciel, au soleil, aux jeux tumultueux de la clarté et de l'eau tout ce que les restrictions de son éducation, de son métier et, sans doute aussi de son caractère, l'empêchaient de donner librement aux êtres humains ou à un seul d'entre eux. Il avait épousé à vingt-trois ans une amie d'enfance, ce qui n'avait encore été pour lui qu'une façon d'éviter d'aborder le monde des étrangers. On disait de lui qu'il offrait l'exemple rare du diplomate qui avait su défendre sa personnalité contre une emprise trop totale de ses fonctions ; il affichait d'ailleurs un léger dédain à l'égard des hommes qui, pour employer ses propres mots, « avaient trop l'air de ce qu'ils vendaient », et cela, expliquait-il à son fils aîné qui venait de le suivre dans la carrière, en dévoilant trop clairement les limites d'une personnalité, n'est jamais ni à l'avantage de l'homme ni à celui de sa profession. Cette réserve ne l'empêchait pas d'avoir un goût profond de son métier, et, à cinquante-sept ans, à son troisième poste d'ambassadeur, au sommet des honneurs et père de quatre enfants charmants, il avait le sentiment confus, mais angoissant, et qu'il n'arrivait pas à expliquer, de lui avoir tout sacrifié. Sa femme avait été pour lui une compagne parfaite ; une certaine étroitesse d'esprit qu'il lui reprochait secrètement était peut-être ce qui avait servi le mieux sa carrière, du moins dans ses manifestations les plus superficielles mais non négligeables, si bien que, depuis vingt-cinq ans, tout ce qui était petits fours, jeux de fleurs, gracieusetés, rondes rituelles, corvées bienséantes et lassantes frivolités de la vie diplomatique lui avait été dans une grande mesure épargné. Elle semblait le protéger instinctivement par tout ce qu'il y avait en elle de strict, de « comme il faut », de conventionnel, et il eût été stupéfait d'apprendre ce qu'il entrait d'amour dans ce qu'il croyait être un simple manque d'horizon. Ils avaient tous les deux le même âge ; les domaines de leurs familles voisinaient au bord de la Baltique ; ses parents avaient arrangé le mariage sans même se douter qu'elle était amoureuse de lui depuis son enfance. C'était à présent une femme droite, maigre, habillée avec cette indifférence qui implique le renoncement ; elle avait un faible pour ces rubans de velours noir autour du cou qui ne font qu'attirer l'attention sur ce qu'ils essaient de cacher. Des boucles d'oreilles trop longues accentuaient bizarrement chaque mouvement de sa tête et donnaient quelque chose de pathétique à son absence de féminité. Ils se parlaient peu, comme s'il y avait eu entre eux un accord tacite ; elle s'efforçait de deviner ses moindres désirs et de lui épargner le maximum de rapports humains ; un des soucis constants de sa vie avait toujours été d'éviter qu'en se retournant brusquement il ne surprît le regard d'adoration qu'elle ne pouvait s'empêcher parfois de poser sur lui. Il demeurait convaincu qu'ils avaient, tous les deux, fait un mariage de convenance, et que d'être ambassadrice avait été le but et le couronnement de toute sa vie de femme. Il eût été étonné et peut-être même indigné de savoir qu'elle passait de longues heures dans les églises à prier pour lui. Depuis leur mariage, elle ne l'avait jamais oublié dans ses dévotions et celles-ci étaient ferventes et suppliantes comme si elle l'eût toujours su exposé à quelque péril secret. Encore aujourd'hui, au faîte d'une vie exemplaire, alors que les enfants étaient grands, et que rien ne semblait plus menacer celui qu'elle avait entouré d'une tendresse muette et comme douloureuse, étrangement secrète jusque dans l'intimité du mariage, encore aujourd'hui, après trente-cinq ans de vie commune, il lui arrivait de passer des heures agenouillée à l'église française de Péra, le mouchoir de dentelle tordu entre ses doigts, priant pour qu'aucun de ces engins à retardement que le destin place parfois dès la naissance dans le cœur d'un homme ne vînt soudainement à exploser en lui. Mais quel péril intérieur pouvait donc craindre un être dont toute la vie n'avait été qu'une longue journée de soleil, d'une visibilité parfaite, un lent et tranquille épanouissement d'une personnalité dans une vocation ?

Le comte avait passé le plus clair de sa carrière dans les grandes capitales, et s'il lui restait encore une ambition, c'était celle d'être un jour nommé à Rome, au cœur de cette Méditerranée dont il continuait à rêver avec une ferveur d'amoureux. Le destin, cependant, semblait s'être acharné à contrecarrer son désir. A plusieurs reprises, il avait été sur le point d'être nommé à Athènes, puis à Madrid, mais au dernier moment quelque décision soudaine de l'Administration le rejetait loin du but. Bien qu'elle ne l'eût jamais avoué, sa femme avait toujours accueilli ce que le comte de N...

considérait comme un revers de fortune avec un certain soulagement. Même les quelques semaines de vacances qu'ils passaient chaque année avec les enfants à Capri ou à Bordighera l'emplissaient de malaise ; son caractère, habitué à la réticence, son tempérament, à l'aise seulement dans un climat raréfié qui semblait suggérer agréablement l'absence de passion, son teint, même, très pâle, qui allait à la perfection avec la lourde discrétion des rideaux toujours tirés, tout cela faisait que la Méditerranée lui apparaissait comme une jungle de couleurs, de parfums et de sons où elle ne s'aventurait qu'à contrecœur. Elle trouvait quelque chose d'immoral à tant de lumière ; cela se rapprochait un peu trop de la nudité. Les passions et les cœurs n'étaient plus recouverts des voiles pudiques de la froideur, du brouillard ou de la pluie : tout avouait, tout proclamait, tout s'exhibait et se donnait. La Méditerranée lui faisait un peu l'effet d'un immense mauvais lieu et elle n'avait jamais pu s'habituer à l'idée d'y venir avec ses enfants ; elle ne s'y risquait qu'avec deux gouvernantes et un précepteur pour les garçons; lorsque les enfants jouaient sur la plage du Lido, elle ne les quittait pas des yeux, comme si elle eût craint que les vagues elles-mêmes et la mer ne vinssent leur donner quelque conseil immoral ou leur apprendre quelque jeu défendu. Elle avait horreur de l'éclat et traitait la nature avec une extrême réserve, comme si elle l'eût crue capable d'un scandale ; elle était toujours tendue, toujours nerveuse, d'une nervosité contrôlée et réprimée qui se remarquait seulement par le tremblement plus prononcé de ses boucles d'oreilles ; elle apportait une attention extrême aux manières, aux convenances et faisait comme si le but de la vie fût de passer inaperçue. Il eût été difficile d'imaginer une éducation plus stricte que la sienne couronnée de plus de succès et elle eût fait une parfaite ambassadrice, n'eût été une certaine inaptitude au sourire. Ses sourires étaient rapides, forcés, comme un frisson froid ; c'était un de ces êtres dont il est à la fois difficile de dire quelque chose et qu'il est difficile d'oublier. Elle était inlassable dans son métier, dans le soin qu'elle apportait à la carrière de son mari, à l'éducation de leurs enfants ; elle se dépensait sans compter dans les visites, les bonnes œuvres, les réceptions, les corvées mondaines qu'elle détestait autant que lui sans qu'il s'en doutât, mais qu'elle acceptait avec empressement, parce que c'étaient les seules marques d'amour et de dévouement qu'elle pouvait se permettre à son égard. Son visage aux lèvres minces, aux traits un peu aigus d'oiseau pâle, portait la marque d'une résolution soutenue, on ne savait laquelle, d'une volonté tendue vers un seul but, qu'il était difficile d'imaginer. On avait l'impression qu'elle cachait un secret, qu'elle savait ce que personne, jamais, à aucun prix, ne devait soupçonner : cela se voyait à l'inquiétude soudaine de son regard, à la nervosité crispée de ses mains, à la réserve qu'elle manifestait, sous un de ses sourires furtifs et glaçants, aux épouses des collaborateurs de son mari qui essayaient de se lier d'amitié avec elle et qu'elle soupçonnait immédiatement de vouloir forcer son intimité. On la croyait torturée par l'ambition et on se moquait un peu de cette attention extrême, jalouse et parfois presque angoissée avec laquelle elle veillait sur ce qui, depuis longtemps, ne semblait plus demander tant d'efforts : la situation de son mari et l'avenir de ses enfants. Ils en avaient quatre, deux fils et deux filles : l'aîné venait d'entrer à son tour dans la carrière, au poste d'attaché à Paris ; le cadet était à Oxford et venait justement d'arriver à Istanbul pour passer ses vacances en préparant un examen ; les deux filles, seize et dix-huit ans, vivaient avec leurs parents.

Le comte de N... était depuis un peu plus d'un an en poste à Istanbul et il aimait ce lieu où les civilisations étaient venues mourir avec tant de beauté ; il avait d'ailleurs admirablement réussi en Turquie, et il avait pour ce peuple fier et courageux un respect sincère et amical. Depuis quelque temps, la capitale avait été transportée à Ankara que la volonté d'Ataturk faisait rapidement sortir de terre ; mais les ambassades avaient traîné, s'étaient fait un peu tirer l'oreille et, profitant de l'été, demeuraient encore sur le Bosphore. Le comte passait ses matinées à la chancellerie ; l'après-midi, il errait longuement parmi les mosquées, dans les souks, s'attardant chez les marchands d'objets d'art et d'antiquités ; il restait des heures en méditation devant une pierre précieuse ou à caresser, de ses doigts longs et fins, qui paraissaient faits pour ce geste, une statuette ou un masque, comme pour essayer de leur rendre vie. Pareil en cela à tous les connaisseurs, il éprouvait le besoin de toucher, de tenir ce dont son œil se délectait, et les antiquaires lui ouvraient avec empressement leurs vitrines, puis le laissaient seul avec son plaisir. Mais il achetait peu. Ce n'était pas de l'avarice. Simplement, il manquait toujours quelque chose aux plus belles pièces. Il écartait un peu fébrilement les bagues, les calices, les icônes, les camées — encore une statuette, un paysage d'émail, un étincellement de joyaux — sa main, parfois, se crispait d'impatience, de vide, d'aspiration presque physique — quelque chose n'était pas là. La beauté même des œuvres d'art ne faisait que l'exaspérer, parce qu'elle suggérait, avec une sorte d'impuissance, une perfection plus grande, plus totale, dont l'art n'était jamais qu'un humble pressentiment. Parfois, lorsque ses doigts suivaient sur une statue les formes que l'inspiration de l'artiste lui avait imposées, il était soudain saisi d'une profonde tristesse et il lui fallait faire un effort pour conserver cet air digne et tranquillement assuré que tout le monde attendait de lui. C'est à ces moments-là qu'il éprouvait avec le plus d'acuité le sentiment d'une vocation manquée. Pourtant, il n'avait jamais songé à être un artiste. Le goût de l'art même ne lui était venu que tardivement. Non, c'était quelque chose dans ses mains, dans ses doigts — c'était un peu comme si ses mains eussent eu un rêve à elles, une aspiration indépendante de sa volonté et qu'il ne comprenait pas. Lui, qui n'avait jamais souffert d'insomnie, il lui arrivait de plus en plus souvent de rester des heures sans dormir avec ce troublant appel physique s'éveillant au creux de ses paumes comme une naissance nocturne d'un sens nouveau. Il finissait par avoir honte des marchands et espaçait ses visites dans les souks. Il en avait même parlé à sa femme, au petit déjeuner. Le petit déjeuner était une cérémonie familiale célébrée sur la terrasse de Thérapia, au-dessus du Bosphore, sous un parasol bleu ; le maître d'hôtel, en gants blancs, transportait solennellement les instruments du rite ; Mme de N... présidait la cérémonie dans une atmosphère admirablement réglée où seules les abeilles mettaient parfois une note d'imprévu. Le comte avait abordé le sujet un peu indirectement, se sentant coupable, bien qu'il ne sût guère de quoi ; il avait d'ailleurs choisi d'en parler pour en finir, justement, avec cet absurde sentiment de culpabilité.

— Je finirai par m'établir ici une solide réputation d'avarice, dit-il. Je passe mon temps chez les antiquaires d'Istanbul sans faire le moindre achat. Hier après-midi, j'ai bien dû rester une demi-heure devant une statuette d'Apollon sans pouvoir me décider. Il me semble qu'il manque toujours l'essentiel aux objets d'art les plus parfaits. Je croyais pourtant qu'un de mes traits de caractère était l'indulgence, sentiment qui va rarement de pair avec un goût intransigeant de la perfection. Je finis par donner aux marchands l'impression que même s'ils m'offraient une statue de Phidias, je trouverais encore à y redire.

— Il vaut mieux en effet que vous leur achetiez

quelque chose, dit la comtesse. La moitié des rumeurs qui circulent dans le corps diplomatique naissent dans les souks. Elles suffisent parfois à marquer une carrière. En tout cas, chacun connaît jour par jour ce que le moindre attaché a acheté et combien il l'a payé.

— La prochaine fois, j'achèterai n'importe quoi, dit le comte, d'un ton enjoué. Mais avouez qu'il vaut mieux que l'on m'accuse d'être, comme disent les Français, « près de mes sous », plutôt que d'avoir mauvais goût.

Sa fille aînée regardait les longues mains délicates de son père sur la nappe.

— Il suffit de voir vos mains, papa, pour expliquer vos hésitations, dit-elle. Je vous ai vu moi-même chez Ahmed, l'autre jour, caressant rêveusement une statuette égyptienne. Vous paraissiez à la fois fasciné et triste. Vous avez gardé je ne sais combien de temps la figurine à la main, puis vous l'avez replacée dans la vitrine. Je ne vous ai jamais vu aussi abattu. En réalité, vous êtes trop artiste vous-même pour vous contenter encore de la contemplation. Vous avez besoin de créer vous-même. Je suis parfaitement sûre que vous avez raté votre vocation...

— Christel, s'il te plaît, dit la comtesse, doucement.

— Ce que je veux dire, c'est que sous cette enveloppe de parfait diplomate s'est caché pendant trente ans un artiste que votre volonté a empêché de se manifester, mais qui prend aujourd'hui sa revanche. Je suis persuadée que vous avez du génie, papa, et qu'il y a en vous un très grand peintre ou un très grand sculpteur qui a été ligoté pendant toute une vie, si bien qu'aujourd'hui, pour vous, chaque objet d'art est un reproche, un remords. Vous avez passé votre existence à chercher dans la contemplation une satisfaction artistique que, seule, la création eût pu vous donner. Votre maison s'est peu à peu transformée en musée, mais vous vous acharnez à continuer chez tous les antiquaires d'Istanbul vos fouilles impatientes à la poursuite d'une œuvre qui est en vous. Toutes ces miniatures, ces sculptures, ces bibelots sont autour de vous comme le témoignage d'une vie manquée...

— Christel! dit la comtesse, sévèrement.

— Oh! tout est relatif, bien sûr. Je parle uniquement de vocation artistique. Quand vous êtes dans les souks, chez Ahmed, devant l'image en pierre de quelque dieu païen, ce qui vous torture, c'est la volonté de créer. Vous ne pouvez pas vous contenter de l'œuvre d'un autre. Tout cela, du reste, est écrit dans vos mains.

Le comte sentit soudain une présence angoissée et tendue à ses côtés : sa femme. Que l'on pût parler avec tant de légèreté de sa carrière, de cette suite d'honneurs que fut sa vie, voilà, sans doute, ce qu'il lui était difficile d'admettre, ou seulement de tolérer. Il toussa discrètement, porta la serviette à ses lèvres : que l'on pût mettre une telle passion à l'amour de la respectabilité, des dignités, des honneurs, voilà ce qu'il n'arrivait pas à concevoir. Il ne lui vint même pas à l'esprit que ce qu'il appelait « l'amour de la respectabilité, des dignités, des honneurs » était peut-être l'amour tout court. Ce qu'il savait, par contre, et avec rancune, c'est que, sans elle, il eût abandonné la carrière depuis longtemps, pour vivre dans quelque village de pêcheurs italiens, peindre, sculpter... Inconsciemment, sa main se referma sur une curieuse sensation de besoin, une sorte de nostalgie physique dans les doigts.

— Je trouve plutôt que papa a des mains de musicien, intervint la cadette. On les voit très bien effleurer un clavier, les cordes d'un violon ou même d'une guitare...

Une abeille bourdonna un moment au-dessus de la nappe, entre le miel et le vase de fleurs ; sur le Bosphore, un caïque passa avec juste ce qu'il fallait de langueur pour ne rien demander à la paresse de l'œil ; on entendit un crissement de roues sur le gravier.

— Le chauffeur, dit le comte.

Il se leva, sourit aux enfants, évita de regarder sa femme, et monta dans la voiture. Deux ou trois fois, pendant le parcours, il regarda ses mains. Il avait été touché par la vivacité de sa fille, par son raisonnement volubile et ingénu. Il était bien vrai que depuis des années, déjà, la contemplation ne lui suffisait plus, et que grandissait en lui le désir bizarre mais irrésistible de goûter plus intimement à la beauté du monde, de la porter à ses lèvres comme une coupe de vin... Il se pencha vers le chauffeur.

— Chez Ahmed, dit-il.

Parmi les antiquaires qui observaient depuis

longtemps déjà le comte de N... lorsqu'il touchait l'un après l'autre des bibelots précieux sans jamais paraître trouver ce qu'il cherchait, il y avait naturellement Ahmed, qui était non seulement le plus gros marchand des souks, mais aussi et surtout un grand connaisseur de la nature humaine, pour laquelle il éprouvait une véritable passion de collectionneur. C'était un homme rond, presque obèse, au teint olivâtre, aux beaux yeux fluides d'un vert marin ; il portait encore sur ses cheveux grisonnants un fez, dont un récent décret d'Ataturk venait pourtant de prohiber le port en Turquie. Il y avait dans son regard une curieuse et constante lueur éblouie, comme si la splendeur des pierres précieuses parmi lesquelles il vivait avait fini par communiquer à ses yeux un peu de son éclat, et ses traits charnus étaient perpétuellement empreints d'une expression d'émerveillement presque révérenciel, qui paraissait refléter l'étonnement et la gratitude d'un vrai amateur devant les infinies richesses de l'âme humaine, dans ses innombrables et étonnantes manifestations. Son plus grand plaisir était de rester au fond de son souk et d'admirer, du matin au soir, une faune humaine intarissable dans son foisonnement, ses failles profondes, secrètes ou visibles à l'œil nu, les soudaines révélations de sa laideur ou de sa beauté. Le comte de N... était considéré par les antiquaires d'Istanbul comme un des plus mauvais clients qu'Allah eût jamais égarés dans leurs souks. Mais Ahmed ne s'était jamais laissé aller à un jugement aussi sommaire. Il attendait au contraire beaucoup du diplomate et le cultivait avec soin. Il éprouvait en sa présence ces délicieux moments d'anticipation que tout collectionneur connaît lorsqu'il se sent sur la trace d'un objet rare et précieux, demeuré pendant longtemps caché et sur lequel tant de regards se sont posés sans jamais en reconnaître l'authenticité profonde. Ahmed se tenait en général dans la cour intérieure de son magasin, à côté de la fontaine, en compagnie d'un jeune neveu ; lorsqu'il voyait le comte de N... apparaître dans une des pièces du magasin, toute trace d'expression quittait son visage, ce qui était chez lui une marque certaine d'émotion ; il se levait et allait recevoir l'ambassadeur avec une politesse digne, totalement dénuée de servilité. Aucune transaction commerciale, si avantageuse qu'elle eût pu être, ne lui eût causé le quart de la satisfaction qu'il éprouvait à observer discrètement le diplomate aux prises avec son démon secret. Depuis un an déjà, Ahmed attendait avec une patience de vieux prospecteur. Il n'avait qu'une crainte : c'est que, le moment venu, au hasard d'une promenade, d'une rencontre, la révélation du joyau intime que le comte portait en lui sans le savoir et que l'œil expert d'Ahmed guettait depuis longtemps, ne se produisît quelque part ailleurs, hors de son magasin, loin de ses yeux. Ç'eût été naturellement une très grosse perte. Il reçut donc le diplomate dans ce silence qu'il réservait toujours aux connaisseurs distingués et qui suggérait quelque communion profonde dans la contemplation de la beauté. Il allait de salon en salon, ouvrant les vitrines ; on entendait la fontaine dans le jardin ; à un moment, en passant près d'une fenêtre, Ahmed fit un signe à son neveu et le jeune homme toucha les cordes de l'instrument qu'il tenait sur les genoux. Le comte se tourna vers la fenêtre.

— Mon neveu, dit Ahmed.

Le comte avait repris la statuette qu'il avait admirée la veille ; ses mains s'énervaient à suivre les lignes de la sculpture ; Ahmed, dans un silence respectueux, regardait discrètement les doigts de l'ambassadeur vivre sur la pierre ; dans la cour, le jeune musicien s'était arrêté de jouer, comme par respect instinctif de ce rite mystérieux que l'amateur d'art était en train de célébrer; on entendait le bruissement de la fontaine. Ma fille doit avoir raison, pensa soudain le comte, mes yeux se lassent de courir sur la trace d'un autre, ce qu'il faut, c'est essayer d'arracher soi-même un miracle de vie et de beauté à la matière. Il n'y avait pas d'autre explication à cet émoi qu'il éprouvait en même temps qu'un sentiment d'intense frustration, à cet agacement, ce vide presque douloureux, cette étrange nostalgie physique qu'il éprouvait dans ses doigts. Il savait qu'il allait passer encore une nuit blanche, avec l'impression que ses mains allaient le quitter pour vivre, dans quelque coin perdu des souks, une vie à elles, mystérieuse, tâtonnante, comme reptilienne, qu'il pressentait vaguement, mais dont il refusait de prendre conscience, et, une fois de plus, il lui faudrait faire appel à tout son amour-propre pour interdire à son imagination le droit de franchir les frontières du monde furtif et narquois qui le guettait. Il eut envie de se confier à Ahmed, de lui parler de cette confuse aspiration physique tapie au creux de ses paumes comme un insecte rongeur ; il avait besoin d'un conseil, d'une initiation, Ahmed pouvait peut-être lui procurer cette matière mystérieuse qu'il avait envie de pétrir, dans laquelle il voulait plonger enfin ses doigts. Mais sans doute était-il trop tard ; il fallait de longues années d'apprentissage, d'initiation, pour devenir un sculpteur ; si seulement il avait découvert plus tôt sa véritable vocation ! Peut-être, dans quelques années, après sa retraite... Il se tourna vers Ahmed, un sourire enjoué aux lèvres, avec cette élégance détachée qu'il savait mettre dans ses moindres gestes.

— Ma femme me reproche beaucoup ces visites au cours desquelles je n'achète rien, dit-il. Elle craint que je ne me fasse dans les souks une solide réputation d'avarice. Je pourrais évidemment acheter n'importe quoi...

— Vous m'offenseriez, Excellence, dit Ahmed.

— Je ne sais pas ce qu'il y a, je ne trouve jamais un objet dont j'eusse vraiment envie. Même cette statuette, dont n'importe quel spécialiste reconnaîtrait pourtant la perfection, me laisse une sensation d'à-peu-près...

Ahmed regardait avec fascination les doigts du diplomate célébrer leur rite autour de la silhouette de bronze.

— Ma fille prétend que j'ai des mains de sculpteur et que j'ai raté ma vocation.

Ahmed hocha la tête devant la témérité de la jeunesse.

— Mais pourquoi n'essaieriez-vous pas, Excellence ? demanda-t-il. Les plus grands artistes se sont quelquefois révélés assez tard... Permettez-moi de vous offrir un café.

Ils passèrent dans la cour. Le jeune musicien se leva respectueusement ; il était très mince, le visage, sous des cheveux très noirs, empreint, aux yeux et aux pommettes, de la marque à la fois délicate et sauvage de la Mongolie. Le comte ne semblait pas l'avoir vu ; tourné vers la fontaine, il buvait son café, le regard un peu fixe ; Ahmed fit un signe de tête au jeune homme et celui-ci se mit à jouer. Le comte parut revenir sur terre ; la tasse levée, il regarda l'instrument avec un soudain intérêt.

— C'est un luth, je crois ? demanda-t-il.

— Oui, dit Ahmed doucement. Plus exactement, c'est un *oûd*. *Al oûd*, c'est un mot arabe.

Le comte but une gorgée de café.

— *Al oûd*, répéta-t-il, d'une voix un peu rauque.

Dans ses mains, la tasse heurta soudain la soucoupe. Il fixait l'instrument, le sourcil froncé, avec une sorte de sévérité. Ahmed toussa.

— *Al oûd*, répéta-t-il. C'est l'ancêtre du luth européen. Ainsi que vous le voyez, le corps de l'instrument est beaucoup plus petit que celui du luth moderne, et le manche beaucoup plus long. Il n'y a que six cordes.

Il toussa.

— Il a été introduit en Europe par les croisés.

Le comte posa la tasse sur le marbre de la fontaine.

— Il est très beau, dit-il, plus beau que les instruments à cordes de l'Occident. Je trouve en général que les instruments à cordes sont les seuls à joindre à la beauté du son celle de la forme... Au fond, ce qui manque aux objets d'art, c'est d'exprimer dans un son, dans un chant, l'émotion artistique, la joie, la tendresse amoureuse de celui qui les touche.

Sa voix s'enroua légèrement.

— Vous permettez ?

Il s'empara du luth.

— C'était le divertissement préféré de nos sultans, murmura Ahmed.

Le comte promenait ses doigts sur l'instrument. Une note s'éleva, tendre, plaintive, un peu ambiguë, à la fois un reproche et une supplique de continuer. Il frôla encore une fois les cordes, et sa main resta suspendue dans l'air, comme la note, aussi longtemps qu'elle. Le jeune musicien le regardait gravement.

— Joli son, dit le comte brièvement.

— J'en ai dans ma collection qui datent du XVIe siècle, dit Ahmed. Si vous voulez me permettre...

Il courut dans son magasin. Pendant son absence, le comte demeura silencieux, appuyé contre la margelle, regardant devant lui avec beaucoup de sévérité. Il était évident qu'il pensait à des affaires de la plus haute importance, des affaires d'État, sans aucun doute. Le jeune musicien lui jetait de temps en temps un regard de respect. Ahmed revint presque aussitôt avec un instrument admirablement travaillé, incrusté de nacre et de pierres multicolores.

— Et il est en parfait état. Mon neveu va vous jouer quelque chose.

Le jeune homme prit le luth et ses doigts éveillèrent dans les cordes une voix voluptueuse et plaintive qui parut devoir demeurer à jamais suspendue dans les airs. Le comte parut vivement intéressé. Il examina l'instrument.

— Admirable, dit-il, admirable.

Il frôla les cordes du bout des doigts, avec une sorte de brusquerie, comme s'il eût besoin d'exagérer l'ampleur du geste pour vaincre sa timidité.

— Eh bien, cher Ahmed, je l'achète, déclara-t-il. Voilà qui va calmer les appréhensions de ma femme quant à ma réputation. Combien en voulez-vous ?

— Excellence, dit Ahmed, avec une émotion entièrement sincère, permettez-moi de vous l'offrir, en souvenir de notre rencontre...

Ils marchandèrent aimablement. Dans la voiture, le comte ne cessa de caresser les cordes de ses doigts. Le son répondait admirablement au geste. Le comte monta l'escalier en tenant l'objet avec précaution et entra dans le salon de sa femme. Mme de N... était en train de lire.

— Voilà mon acquisition, annonça le comte, triomphalement. Cela m'a coûté une petite fortune. Mais ainsi, ma réputation n'a plus rien à craindre dans les souks d'Istanbul.

— Mon Dieu, qu'allez-vous faire d'un luth ?

— L'admirer, dit le comte. Le garder dans mon cabinet et en caresser les formes. C'est à la fois un instrument de musique, un objet d'art et quelque chose de vivant. Il est tout aussi beau qu'une statue, mais il a aussi une voix. Écoutez...

Il toucha les cordes. Le son s'éleva et languit doucement dans les airs.

— C'est très oriental, dit Mme de N...

— C'était l'instrument préféré des sultans.

Il alla déposer le luth sur sa table de travail. Désormais, il lui arriva de passer de longs moments dans son cabinet, assis dans un fauteuil, à fixer l'instrument avec une sorte de peur fascinée. Il luttait contre une sensation de vide qui grandissait dans ses mains, une avidité à la fois confuse et tyrannique, un besoin de toucher, de faire jaillir, de pétrir, et peu à peu tout son être se mettait à réclamer quelque chose, il ne savait quoi au juste, et à le réclamer impérieusement, capricieusement presque ; il finissait par se lever et allait frôler le luth. Il perdait alors toute notion du temps et demeurait debout devant la table, frappant les cordes au hasard de ses doigts maladroits.

— Papa a passé aujourd'hui au moins deux heures à jouer du luth, annonça Christel à sa mère.

— Tu appelles cela jouer ? dit la cadette. Il frappe toujours la même corde, on entend toujours le même son... C'est à devenir fou !

— C'est tout à fait mon avis, déclara Nick. On l'entend dans toute la maison, il n'y a plus où se cacher. Je trouve ce son parfaitement odieux, du reste... On dirait le miaulement d'une chatte amoureuse.

— Nicholas!

Mme de N... posa sa fourchette avec colère.

— Je te prie de surveiller ton langage. Tu es parfaitement intolérable.

— C'est tout ce qu'on lui a appris à Oxford, dit la cadette.

— En tout cas, depuis qu'il a acheté ce maudit instrument, il n'y a pas moyen de travailler, dit Nick. J'ai un examen à préparer, moi. Même quand on n'entend rien on sait que cet affreux miaulement va s'élever d'un moment à l'autre et on passe son temps à le redouter.

— Je vous avais bien dit que père était un artiste qui s'ignorait, dit Christel.

— Si encore il jouait vraiment quelque chose, grommela Nick. Mais non, toujours une seule note et toujours la même.

— Il devrait prendre des leçons, conclut Christel.

Chose étrange, le même jour, le comte fit part à sa femme de son désir de prendre des leçons de luth.

— Je trouve très pénible de tenir entre mes mains un instrument dont il est possible de tirer une telle richesse de mélodie et de ne pas pouvoir le faire, dit-il. Se limiter toujours à une note, c'est plutôt monotone. Les enfants se plaignent et ils ont raison. Je vais demander à Ahmed de me recommander quelqu'un.

Ahmed était dans la petite cour intérieure en train de jouer au trictrac avec un voisin, lorsque le comte fit son entrée dans le magasin. Quelque chose dans son visage, dans son attitude, fit courir sur l'échine pourtant blasée de l'antiquaire un délicieux frisson d'anticipation. Le diplomate était extrêmement grave, sévère même, avec une trace de colère dans le regard et dans le pli de ses lèvres serrées ; il tenait à la main sa canne avec une expression de détermination et presque de défi. Ahmed reconnut même dans son attitude cet air de supériorité que les employés subalternes des ambassades prenaient en général pour s'adresser à quelqu'un qui n'était, après tout, qu'un marchand des souks ; il eut de la peine à réprimer un sourire lorsque le comte, sans répondre à ses salutations, lui parla avec sécheresse et brusquerie.

— Cet instrument de musique que j'ai acheté chez vous l'autre jour... Comment cela s'appelle-t-il, déjà...

— Un *oûd*, Excellence, répliqua Ahmed, *al oûd...*

— Parfaitement, parfaitement. Eh bien, figurez-vous, les enfants en sont fous... je vous étonnerai peut-être en vous disant que ma femme elle-même...

Ahmed attendit, le sourcil levé, le visage figé, le tue-mouche immobile dans sa main potelée.

— Bref, ils veulent tous apprendre à jouer de l'instrument. Il n'est question que de cela à la maison. Je leur ai promis de vous en parler pour voir si vous ne pourriez pas nous trouver un professeur.

— Un professeur d'*oûd*, Excellence ? murmura Ahmed.

Il hocha la tête. Il fit mine de réfléchir longuement. Les yeux mi-clos, il semblait passer en revue les uns après les autres les milliers de joueurs d'*oûd* qu'il connaissait à Istanbul. Il prenait son plaisir, un peu trop lourdement, peut-être, mais c'était la revanche d'une longue année de patience et d'anticipation. Le comte se tenait droit devant lui, la tête haute, dans une attitude de dignité et de noblesse-au-dessus-de-tout-soupçon qui allait droit au cœur du vieux jouisseur. C'était un des bons moments de la vie. Il faisait durer le plaisir, impitoyablement.

— Voyons ! s'exclama-t-il enfin. Où avais-je donc la tête ? Mon neveu est un joueur d'*oûd* de grand talent et il va sans dire, Excellence, qu'il sera heureux de se mettre à votre disposition...

A partir de ce jour, deux ou trois fois par semaine, le jeune neveu d'Ahmed montait les marches de la villa de Thérapia. Il saluait gravement l'ambassadrice et était conduit par un domestique dans le cabinet du comte. On entendait alors, pendant une heure, le son du luth dans la maison.

Mme de N... se tenait assise dans le petit salon voisin du cabinet de son mari et calculait que les notes devaient être entendues dans tout l'étage, dans l'appartement des enfants et surtout en bas, chez les domestiques. Pendant tout le temps que le jeune musicien était là, elle demeurait enfermée dans son salon, tordant un mouchoir entre ses mains, incapable de penser à autre chose, luttant en vain contre une certitude qui la hantait depuis si longtemps... Les notes s'élevaient régulièrement, mélodieuses et hardies sous les doigts du professionnel, malhabiles et tâtonnantes sous ceux de l'amateur. En quelques leçons, Mme de N... vieillit de dix ans. Elle attendait l'inévitable. Tous les jours, elle allait se réfugier dans la petite église française de Péra et priait longuement. Mais elle ne se contenta pas de prier. Elle était décidée à aller beaucoup plus loin. Elle était prête à aller jusqu'au bout de sa tendresse et de son dévouement. Elle était prête à aller jusqu'au bout de l'humiliation dans sa lutte pour l'honneur, puisque ce n'était pas de son honneur à elle qu'il s'agissait — il y avait si longtemps que la question ne se posait plus! Elle prit donc ses précautions, le plus discrètement possible. Si bien que lorsque le jour tant redouté vint enfin, il la trouva armée.

Cela se produisit vers la cinquième ou sixième visite du jeune musicien.

Il fut introduit, comme d'habitude, par le domestique, traversa le petit salon en saluant gravement l'ambassadrice qui feuilletait une revue, puis entra dans l'appartement du comte. Mme de N... jeta la revue et attendit. Elle se tenait très droite, la tête haute, le mouchoir entre les mains, les yeux agrandis. La leçon mit, comme d'habitude, quelques minutes à commencer. On entendit ensuite une mélodie langoureuse monter du cabinet. C'était clairement le jeune homme qui jouait. Puis... Mme de N... était assise sur le divan, figée, les lèvres serrées, les doigts noués autour du mouchoir de dentelle. Elle attendit encore une minute, les yeux fixes, les boucles d'oreilles tremblant de plus en plus vite... Toujours le silence. Pendant quelques instants, elle continua à espérer, à lutter contre l'évidence. Mais à chaque seconde qui passait le silence ne faisait que grandir monstrueusement autour d'elle et il lui sembla qu'il emplissait la maison, descendait l'escalier, ouvrait toutes les portes, traversait les murs, arrivait aux oreilles des enfants et que des sourires bêtes et goguenards apparaissaient déjà sur les visages des domestiques aux aguets. Elle se leva rapidement, ferma à clef les portes du salon et courut vers l'armoire chinoise dans un coin. Elle prit une clef dans sa poche, ouvrit l'armoire et en retira un luth. Elle revint alors s'asseoir sur le sofa, posa l'instrument sur ses genoux et frappa les cordes. De temps en temps, elle s'arrêtait, écoutait désespérément, puis continuait à frapper du bout des doigts les cordes haïes. Elle était sûre que l'on entendait les sons du luth aussi bien dans l'appartement des enfants que dans la cour, chez les domestiques, et il ne pouvait venir à l'esprit de personne que c'était sous sa main que naissaient secrètement ces accents voluptueux et discordants. Peut-être, pensait-elle, peut-être allait-il malgré tout arriver à l'âge de la retraite sans scandale, sans même que le monde s'aperçut... Il n'y avait plus que quelques années à attendre. D'un moment à l'autre ils allaient avoir l'ambassade de Paris, ou Rome, il s'agissait simplement de durer encore un peu, d'éviter les ragots, les potins, les mauvaises langues... Les enfants étaient déjà grands et, de toute façon, les premiers soupçons mettraient longtemps à franchir les murs du respect acquis. Elle continua à frapper les cordes des doigts, s'interrompant parfois un instant pour écouter. Au bout d'une demi-heure, la musique reprit dans l'appartement du comte. Mme de N... se leva et alla replacer le luth dans l'armoire. Puis elle revint s'asseoir et prit un livre. Mais les lettres se brouillaient devant ses yeux et elle se contenta de rester là, très droite, le livre à la main, essayant de ne pas pleurer.

Un humaniste

Au moment de l'arrivée au pouvoir en Allemagne du Führer Adolf Hitler, il y avait à Munich un certain Karl Lœwy, fabricant de jouets de son métier, un homme jovial, optimiste, qui croyait à la nature humaine, aux bons cigares, à la démocratie, et, bien qu'assez peu aryen, ne prenait pas trop au sérieux les proclamations antisémites du nouveau chancelier, persuadé que la raison, la mesure et un certain sens inné de la justice, si répandu malgré tout dans le cœur des hommes, allaient l'emporter sur leurs aberrations passagères.

Aux avertissements que lui prodiguaient ses frères de race, qui l'invitaient à les suivre dans l'émigration, Herr Lœwy répondait par un bon rire et, bien carré dans son fauteuil, un cigare aux lèvres, il évoquait les amitiés solides qu'il avait nouées dans les tranchées pendant la guerre de 1914-18, amitiés dont certaines, aujourd'hui fort haut placées, n'allaient pas manquer de jouer en sa faveur, le cas échéant. Il offrait à ses visiteurs inquiets un verre de liqueur, levait le sien « à la nature humaine », à laquelle, disait-il, il faisait entièrement confiance, qu'elle fût revêtue d'un uniforme nazi ou prussien, coiffée d'un chapeau tyrolien ou d'une casquette d'ouvrier. Et le fait est que les premières années du régime ne furent pour l'ami Karl ni trop périlleuses, ni même pénibles. Il y eut, certes, quelques vexations, quelques brimades, mais, soit que les « amitiés des tranchées » eussent en effet joué discrètement en sa faveur, soit que sa jovialité bien allemande, son air de confiance eussent, pendant quelque temps, retardé les enquêtes à son sujet, alors que tous ceux dont l'extrait de naissance laissait à désirer prenaient le chemin de l'exil, notre ami continua à vivre paisiblement entre sa fabrique de jouets et sa bibliothèque, ses cigares et sa bonne cave, soutenu par son optimisme inébranlable et la confiance qu'il avait dans l'espèce humaine. Puis vint la guerre, et les choses se gâtèrent quelque peu. Un beau jour, l'accès de sa fabrique lui fut brutalement interdit et, le lendemain, des jeunes gens en uniforme se jetèrent sur lui et le malmenèrent sérieusement. M. Karl donna quelques coups de fil à droite et à gauche, mais les « amitiés du front » ne répondaient plus au téléphone. Pour la première fois, il se sentit un peu inquiet. Il entra dans sa bibliothèque et promena un long regard sur les livres qui couvraient les murs. Il les regarda longuement, gravement : ces trésors accumulés parlaient tous en faveur des hommes, ils les défendaient, plaidaient en leur faveur et suppliaient M. Karl de ne pas perdre courage, de ne pas désespérer. Platon, Montaigne, Érasme, Descartes, Heine... Il fallait faire confiance à ces illustres pionniers ; il fallait patienter, laisser à l'humain le temps de se manifester, de s'orienter dans le désordre et le malentendu, et de reprendre le dessus. Les Français avaient même trouvé une bonne expression pour cela ; ils disaient : Chassez le naturel, il revient au galop. Et la générosité, la justice, la raison allaient triompher cette fois encore, mais il était évident que cela risquait de prendre quelque temps. Il ne fallait ni perdre confiance ni se décourager ; cependant, il était tout de même bon de prendre quelques précautions.

M. Karl s'assit dans un fauteuil et se mit à réfléchir.

C'était un homme rond, au teint rose, aux lunettes malicieuses, aux lèvres fines dont les contours paraissaient avoir gardé la trace de tous les bons mots qu'elles avaient lancés.

Il contempla longuement ses livres, ses boîtes de cigares, ses bonnes bouteilles, ses objets familiers, comme pour leur demander conseil, et peu à peu son œil s'anima, un bon sourire astucieux se répandit sur sa figure, et il leva son verre de fine vers les milliers de volumes de la bibliothèque, comme pour les assurer de sa fidélité.

M. Karl avait à son service un couple de braves Munichois qui s'occupaient de lui depuis quinze ans. La femme servait d'économe et de cuisinière, préparait ses plats favoris ; l'homme était chauffeur, jardinier et gardien de la maison. Herr

Schutz avait une seule passion : la lecture. Souvent, après le travail, alors que sa femme tricotait, il restait pendant des heures penché sur un livre que Herr Karl lui avait prêté. Ses auteurs favoris étaient Gœthe, Schiller, Heine, Érasme ; il lisait à haute voix à sa femme les passages les plus nobles et inspirés, dans la petite maison qu'ils occupaient au bout du jardin. Souvent, lorsque M. Karl se sentait un peu seul, il faisait venir l'ami Schutz dans sa bibliothèque, et là, un cigare aux lèvres, ils s'entretenaient longuement de l'immortalité de l'âme, de l'existence de Dieu, de l'humanisme, de la liberté et de toutes ces belles choses que l'on trouvait dans les livres qui les entouraient et sur lesquels ils promenaient leurs regards reconnaissants.

Ce fut donc vers l'ami Schutz et sa femme que Herr Karl se tourna en cette heure de péril. Il prit une boîte de cigares et une bouteille de schnaps, se rendit dans la petite maison au bout du jardin et exposa son projet à ses amis.

Dès le lendemain, Herr et Frau Schutz se mirent au travail.

Le tapis de la bibliothèque fut roulé, le plancher percé et une échelle installée pour descendre dans la cave. L'ancienne entrée de la cave fut murée. Une bonne partie de la bibliothèque y fut transportée, suivie par les boîtes de cigares ; le vin et les liqueurs s'y trouvaient déjà. Frau Schutz aménagea la cachette avec tout le confort possible et, en quelques jours, avec ce sens bien allemand du *gemütlich*, la cave devint une petite pièce agréable, bien arrangée. Le trou dans le parquet fut soigneusement dissimulé par un carreau bien ajusté et recouvert par le tapis. Puis Herr Karl sortit pour la dernière fois dans la rue, en compagnie de Herr Schutz, signa certains papiers, effectua une vente fictive pour mettre son usine et sa maison à l'abri d'une confiscation ; Herr Schutz insista d'ailleurs pour lui remettre des contre-lettres et des documents qui allaient permettre au propriétaire légitime de rentrer en possession de ses biens, le moment venu. Puis les deux complices revinrent à la maison et Herr Karl, un sourire malin aux lèvres, descendit dans sa cachette pour y attendre, bien à l'abri, le retour de la bonne saison.

Deux fois par jour, à midi et à sept heures, Herr Schutz soulevait le tapis, retirait le carreau, et sa femme descendait dans la cave des petits plats bien cuisinés, accompagnés d'une bouteille de bon vin, et, le soir, Herr Schutz venait régulièrement s'entretenir avec son employeur et ami de quelque sujet élevé, des droits de l'homme, de la tolérance, de l'éternité de l'âme, des bienfaits de la lecture et de l'éducation, et la petite cave paraissait tout illuminée par ces vues généreuses et inspirées.

Au début, M. Karl se faisait également descendre des journaux, et il avait son poste de radio à côté de lui, mais, au bout de six mois, comme les nouvelles devenaient de plus en plus décourageantes et que le monde semblait aller vraiment à sa perdition, il fit enlever la radio, pour qu'aucun écho d'une actualité passagère ne vînt entamer la confiance inébranlable qu'il entendait conserver dans la nature humaine, et, les bras croisés sur la poitrine, un sourire aux lèvres, il demeura ferme dans ses convictions, au fond de sa cave, refusant tout contact avec une réalité accidentelle et sans lendemain. Il finit même par refuser de lire les journaux, par trop déprimants, et se contenta de relire les chefs-d'œuvre de sa bibliothèque, puisant au contact de ces démentis que le permanent infligeait au temporaire la force qu'il fallait pour conserver sa foi.

Herr Schutz s'installa avec sa femme dans la maison, qui fut miraculeusement épargnée par les bombardements. A l'usine, il avait d'abord eu quelques difficultés, mais les papiers étaient là pour prouver qu'il était devenu le propriétaire légitime de l'affaire, après la fuite de Herr Karl à l'étranger.

La vie à la lumière artificielle et le manque d'air frais ont augmenté encore l'embonpoint de Herr Karl, et ses joues, avec le passage des années, ont perdu depuis longtemps leur teint rose, mais son optimisme et sa confiance dans l'humanité sont demeurés intacts. Il tient bon dans sa cave, en attendant que la générosité et la justice triomphent sur la terre, et, bien que les nouvelles que l'ami Schutz lui apporte du monde extérieur soient fort mauvaises, il refuse de désespérer.

Quelques années après la chute du régime hitlérien, un ami de Herr Karl, revenu d'émigration, vint frapper à la porte de l'hôtel particulier de la Schillerstrasse.

Un homme grand et grisonnant, un peu voûté, d'aspect studieux, vint lui ouvrir. Il tenait encore un ouvrage de Gœthe à la main. Non, Herr Lœwy n'habitait plus ici. Non, on ne savait pas ce qu'il était devenu. Il n'avait laissé aucune trace, et toutes les enquêtes faites depuis la fin de la guerre n'avaient donné aucun résultat. *Grüss Gott!* La porte se referma. Herr Schutz rentra dans la maison et se dirigea vers la bibliothèque. Sa femme avait déjà préparé le plateau. Maintenant que l'Allemagne connaissait à nouveau l'abondance, elle gâtait Herr Karl et lui cuisinait les mets les plus délicieux. Le tapis fut roulé et le carreau retiré du plancher. Herr Schutz posa le volume de Gœthe sur la table et descendit avec le plateau.

Herr Karl est bien affaibli, maintenant, et il souffre d'une phlébite. De plus, son cœur commence à flancher. Il faudrait un médecin, mais il ne peut pas exposer les Schutz à ce risque ; ils seraient perdus si on savait qu'ils cachent un Juif humaniste dans leur cave depuis des années. Il faut patienter, se garder du doute ; la justice, la raison et la générosité naturelle reprendront bientôt le dessus. Il ne faut surtout pas se décourager. M. Karl, bien que très diminué, conserve tout son optimisme, et sa foi humaine est entière. Chaque jour, lorsque Herr Schutz descend dans la cave avec les mauvaises nouvelles — l'occupation de l'Angleterre par Hitler fut un choc particulièrement dur — c'est Herr Karl qui l'encourage et le déride par quelque bon mot. Il lui montre

les livres sur les murs et il lui rappelle que l'humain finit toujours par triompher et que c'est ainsi que les plus grands chefs-d'œuvre ont pu naître, dans cette confiance et dans cette foi. Herr Schutz ressort toujours de la cave fortement rasséréné.

La fabrique de jouets marche admirablement ; en 1950, Herr Schutz a pu l'agrandir et doubler le chiffre des ventes ; il s'occupe avec compétence de l'affaire.

Chaque matin, Frau Schutz descend un bouquet de fleurs fraîches qu'elle place au chevet de Herr Karl. Elle lui arrange ses oreillers, l'aide à changer de position et le nourrit à la cuiller, car il n'a plus la force de s'alimenter lui-même. Il peut à peine parler, à présent ; mais parfois ses yeux s'emplissent de larmes, son regard reconnaissant se pose sur les visages des braves gens qui ont su si bien soutenir la confiance qu'il avait placée en eux et dans l'humanité en général ; on sent qu'il mourra heureux, en tenant dans chacune de ses mains la main de ses fidèles amis, et avec la satisfaction d'avoir vu juste.

Décadence

Nous étions depuis cinq heures déjà au-dessus de l'Atlantique et pendant tout ce temps-là Carlos n'avait pratiquement pas cessé de parler. L'avion était un Boeing spécialement loué par le syndicat pour nous mener à Rome et nous étions les seuls passagers ; il y avait peu de chances pour qu'il y eût des micros cachés à bord, mais la franchise totale avec laquelle Carlos évoquait devant nous les quarante dernières années de luttes syndicales, n'hésitant pas à nous révéler en passant quelque point demeuré obscur de l'histoire du mouvement ouvrier américain — j'ignorais, par exemple, que l'exécution d'Anastasia dans un fauteuil de coiffeur au Sheraton et la « disparition » de Soupy Firek étaient directement liées à l'effort des autorités fédérales pour briser l'unité des travailleurs du front de mer — me donnait parfois froid dans le dos : il y a tout de même des choses qu'il est parfois plus prudent de ne pas savoir. Carlos avait beaucoup bu, mais l'alcool n'était pour rien dans l'abandon et la loquacité avec lesquels il se laissait aller aux confidences. Je ne suis même pas sûr que c'était à nous qu'il s'adressait : j'avais par moments l'impression qu'il pensait à haute voix, sous l'effet d'une émotion qui grandissait visiblement au fur et à mesure que l'avion approchait de Rome. Certes, l'imminence de la rencontre qui nous attendait ne laissait aucun d'entre nous indifférent, mais on sentait chez Carlos une agitation intérieure voisine de la crainte et, pour nous qui le connaissions bien, il y avait quelque chose de vraiment impressionnant dans les accents d'humilité et presque d'adoration qui perçaient dans sa voix lorsqu'il évoquait la figure légendaire de Mike Sarfatti, le géant de Hoboken qui s'était un jour dressé sur le front de mer de New York pour accomplir une œuvre dont aucun des pionniers illustres du mouvement ouvrier américain n'avait certainement jamais rêvé. Il fallait entendre Carlos prononcer ce nom : il baissait la voix et un sourire presque attendri adoucissait ce visage épais et lourd que quarante années passées au cœur de la mêlée sociale avaient marqué de leur dureté.

— C'était une époque décisive — décisive : voilà le mot. Le syndicat était en train de prendre le tournant. On avait tout le monde contre nous. La presse nous traînait dans la boue, les politiciens cherchaient à nous mettre le grappin dessus, le F.B.I. fourrait le nez dans nos affaires et les dockers étaient divisés : on venait de fixer la cotisation syndicale à vingt pour cent de la paye et chacun essayait de contrôler la caisse et de faire l'union à son profit. Rien que dans le port de New

York, il y avait sept centrales qui se disputaient le gâteau. Eh bien, il a suffi d'un an à Mike pour mettre de l'ordre là-dedans. Et il ne faisait pas ça comme les gros bonnets de Chicago, les Capone, les Guzik, les Musica, qui se contentaient de bien payer leurs types et de leur donner des ordres par téléphone : non, il mettait la main à la pâte lui-même. Le jour où quelqu'un aura l'idée de ratisser le fond de l'Hudson, devant Hoboken, on trouvera bien une centaine de tonneaux de ciment dans la vase, et Mike était toujours là lui-même lorsqu'on mettait le gars dans le ciment. Des fois, les types étaient même vivants et se débattaient encore. Mike aimait bien lorsqu'ils protestaient : comme ça, quand on les coulait dans le ciment, ils avaient des attitudes intéressantes. Mike disait que c'était un peu comme les mecs de Pompéi lorsqu'on les a trouvés dans la lave, deux mille ans après le coup : il appelait ça « travailler pour la postérité ». Lorsqu'un gars devenait trop turbulent, Mike essayait toujours de le raisonner : « Qu'est-ce que t'as à gueuler? lui disait-il. Tu vas faire partie de notre héritage artistique. » A la fin, il était même devenu très difficile. Il lui fallait un ciment spécial, à prise rapide, qui se durcissait très vite : il pouvait alors voir le résultat aussitôt le boulot fini. A Hoboken, d'habitude, on se contente de fourrer le mec dans le ciment quand il est cuit, on cloue le tonneau, on le balance dans la flotte, et ça y est. Mais avec Mike, c'était quelque chose de très différent, de très personnel. Il voulait que le ciment fût répandu sur le gars en couche très mince, qu'il colle bien partout, pour qu'on puisse voir l'expression du visage marquée nettement, et puis toute la position du corps, comme si c'était une statue. Les types, comme je l'ai dit, se tortillaient un peu pendant l'opération, et cela donnait parfois des résultats assez marrants. Mais le plus souvent, ils avaient une main sur le cœur et la bouche ouverte, en train de faire un beau discours et de jurer qu'ils n'avaient pas du tout cherché à faire concurrence au syndicat, qu'ils étaient pour l'unité ouvrière et innocents comme des moutons et ça ennuyait beaucoup Mike, parce qu'ils faisaient alors tous la même tête et les mêmes gestes, et quand on avait fini de les couler dans le ciment, ils se ressemblaient tous, et Mike trouvait que c'était pas ça. « C'est du travail de cochon », nous expliquait-il. Nous, tout ce qu'on voulait, c'était balancer le plus vite possible le bonhomme dans le tonneau, le tonneau dans la flotte et ne plus y penser. Ce n'est pas qu'on risquait grand-chose : les docks étaient bien gardés par les gars de la centrale, la police ne mettait jamais son nez là-dedans — c'étaient les affaires intérieures du syndicat, ça ne la regardait pas. Mais on n'aimait pas le boulot : un type habillé de ciment des pieds à la tête qui était en train de gueuler alors qu'il était déjà tout blanc et se durcissait, avec le trou noir de la bouche qui continuait à émettre — il fallait vraiment avoir de l'estomac. Mike, parfois, prenait un marteau et un burin et fignolait des détails. Je me souviens particulièrement de Big Bill Sugar, le Grec de San Francisco, celui qui voulait garder la côte ouest indépendante et refusait de s'affilier — le coup que Lou Dybic avait essayé un an plus tôt pour les docks de Chicago, avec le résultat que vous savez. Seulement, la différence avec Lou, c'était que Big Bill Sugar était très fort chez lui, appuyé par tous les dirigeants locaux, et il se méfiait. Il se méfiait même terriblement. Naturellement, il ne voulait pas diviser les travailleurs, il était pour l'unité ouvrière et tout ça, mais à son profit, vous le pensez bien. Pour venir discuter avec Mike de la situation, il demandait des otages : le frère de Mike, qui était alors chargé de la liaison avec les milieux politiques, plus deux dirigeants syndicaux. On les lui a envoyés. Il est venu à Hoboken. Seulement, quand on s'est réunis, on a tout de suite vu que Mike ne s'intéressait pas du tout à la discussion. Il regardait Big Bill Sugar rêveusement et il n'écoutait pas un mot. Il faut vous dire que le Grec était drôlement bien balancé : un mètre quatre-vingt-dix, avec une belle gueule qui faisait chavirer le cœur des filles, ce qui lui avait valu son surnom. On a tout de même palabré ferme pendant sept heures, on a mis sur le tapis l'unité ouvrière et la nécessité de lutter contre les déviationnistes et les socio-traîtres qui ne voulaient pas se limiter à la défense des intérêts professionnels et cherchaient à faire du mouvement un truc politique, et pendant tout ce temps Mike ne quittait pas Big Bill Sugar des yeux. Pendant la suspension de séance, il est venu me trouver et il m'a dit tout simplement : « Bon, ça sert à rien de discuter avec ce salopard-là, allons-y. » J'allais ouvrir la bouche pour lui parler de son frère et des deux autres otages, mais j'ai tout de suite senti que c'était pas la peine, Mike savait ce qu'il faisait, et puis c'était vrai que les intérêts supérieurs du syndicat étaient en jeu. On a continué à palabrer, pour la forme, et après la fin des travaux, quand Big Bill Sugar est sorti du hangar, on les a tous descendus, lui, son avocat et les deux délégués ouvriers d'Oakland. Le soir, Mike est venu lui même surveiller l'opération et quand le Grec fut entièrement recouvert de ciment, au lieu de le balancer dans l'Hudson, il a réfléchi un moment, il a souri, et puis il a dit : « Mettez-le de côté. Faut que ça durcisse. Il y en a pour trois jours au moins. » On a laissé Big Bill Sugar dans le hangar, sous la surveillance d'un militant, et trois jours après on est revenus. Mike l'a bien examiné, il a tâté le ciment, il l'a travaillé encore un peu — un coup de marteau et de burin, ici et là — et puis il a paru content. Il s'est redressé, il l'a regardé encore un peu, et puis il a dit : « Bon, mettez-le dans ma voiture. » On a pas compris tout de suite. et il a répété, encore une fois : « Mettez-le dans ma voiture. A côté du chauffeur. » On s'est regardés, mais on n'allait pas discuter avec Mike. On a transporté Big Bill Sugar dans la Cadillac, on l'a installé à côté du chauffeur, on s'est tous mis dans la voiture, et on a attendu. « A la maison », dit Mike. Bon, on arrive dans Park Avenue, on s'arrête dans la maison, on sort Big Bill Sugar de la bagnole, le portier nous sourit, la casquette à la main. « Une belle statue que vous avez là, monsieur

Sarfatti », dit-il respectueusement. « Et puis, au moins on voit ce que c'est. Pas comme avec ces trucs modernes avec trois visages et sept mains.
— Oui, dit Mike, en rigolant. C'est du classique. Du grec, exactement. » On place Big Bill Sugar dans l'ascenseur, on monte, Mike ouvre la porte, on entre, on regarde le patron. « Dans le salon », nous fait-il. On entre dans le salon, on pose Big Bill Sugar contre un mur, et on attend. Mike regarde les murs attentivement, il réfléchit et puis il tend la main. « Là, dit-il. Sur la cheminée. » On n'a pas compris tout de suite, mais Mike est allé enlever le tableau qui était là, un grand machin qui représentait des bandits en train d'attaquer une diligence. Bon, on s'est dit, y a pas à discuter. Et puis on a placé Big Bill Sugar sur la cheminée, et on l'a laissé là. Avec Mike, fallait surtout pas chercher à comprendre. Après, bien sûr, on a discuté longuement entre nous, pour savoir pourquoi Mike tenait tellement à avoir Big Bill Sugar au-dessus de sa cheminée, sur le mur de son salon. Chacun avait toutes sortes d'idées là-dessus, mais allez donc savoir. Évidemment, c'était une grande victoire pour le syndicat. Big Bill Sugar était un type dangereux, l'unité des travailleurs du front de mer était sauvée et Spats Marcovitz était d'avis que Mike voulait conserver Big Bill Sugar sur son mur comme un trophée, pour lui rappeler la victoire qu'il avait remportée. En tout cas, il l'a gardé comme ça sur sa cheminée pendant des années, jusqu'à sa condamnation pour fraude fiscale, quand on l'a foutu en prison, avant de le déporter. Oui,

c'est tout ce qu'ils ont pu trouver contre lui, et encore, c'était un coup monté des syndicats politiques. A ce moment-là, il a donné la statue au musée du Folklore américain à Brooklyn. Elle y est encore. Il faut dire que Mike y a mis le prix — on a trouvé le corps de son frère dans une poubelle sur les quais d'Oakland — mais Mike n'était pas homme à marchander lorsqu'il s'agissait des intérêts du syndicat. Il a fait l'unité ouvrière sur les docks à lui tout seul, ce qui ne l'a pas empêché d'être privé du passeport américain et déporté en Italie à sa sortie de prison, comme un quelconque Lucky Luciano, il y a sept ans. Voilà, mes amis, l'homme que vous allez voir, dans une heure à peine : un géant. Oui, un géant — il n'y a pas d'autre mot.

Nous étions trois : Shimmy Kunitz, qui était le garde du corps de Carlos et dont la seule occupation, en dehors de ses fonctions physiologiques, consistait à tirer cinq heures par jour à la cible, avec son colt. C'était sa façon d'exister. Quand il n'était pas en train de tirer, il attendait. Je ne sais pas ce qu'il attendait au juste. Le jour où l'on devait le ramasser mort au Libby's, avec trois balles dans le dos, peut-être. Swifty Zavrakos, un petit homme grisonnant dont le visage était une sorte d'exposition permanente de tics nerveux d'une extraordinaire variété ; il était notre avocat-conseil et une véritable encyclopédie vivante de l'histoire syndicale : il pouvait citer de mémoire les noms de tous ses pionniers, le chiffre d'affaires de chacun et jusqu'au calibre des armes qu'ils utilisaient. Quant à moi, j'avais été à Harvard, j'avais passé plusieurs années dans les grandes boîtes de « public relations » et j'étais là surtout pour veiller aux apparences et pour m'occuper de la présentation dialectique de notre action ; je m'efforçais de modifier dans toute la mesure du possible l'image assez peu favorable que les origines sociales souvent plus que modestes de nos dirigeants et le peu d'attention qu'ils avaient prêtée aux questions de forme au milieu des luttes incessantes, sans oublier une propagande insidieuse des syndicats complètement infiltrés par les éléments subversifs avaient aidé à s'accréditer dans l'esprit du public. Nous allions voir Sarfatti à Rome pour deux raisons : d'abord parce que son arrêté de déportation venait d'être cassé par la Cour suprême à la suite d'un vice de forme, et ensuite parce que le mouvement ouvrier était à un tournant décisif de son histoire. Notre syndicat allait se lancer à l'assaut de tous les moyens de transport : routiers, aériens, fluviaux et par voie ferrée. C'était un gros morceau à avaler. Les syndicats inféodés aux partis politiques s'opposaient à nos efforts et essayaient de nous empêcher de sortir des ports : cela commençait à barder sérieusement. Il nous fallait à notre tête non seulement un lutteur de taille, mais encore un homme dont le nom sonnerait aux oreilles de nos militants comme une garantie de victoire. Mike Sarfatti était cet homme-là. Il avait été le premier à comprendre, peut-être instinctivement, que le capitalisme américain traditionnel était sur son déclin et que la véritable source de richesse et de puissance n'était plus le patronat mais la classe ouvrière. Le génie de Mike avait été de réaliser que le syndicalisme du type Chicago était complètement périmé et que la protection des travailleurs offrait des possibilités infiniment plus grandes que celles que les pionniers comme Bugs Moran, Lou Buchalter ou Frankie Costello imposaient jadis aux commerçants. Il était allé jusqu'à se désintéresser complètement du trafic de la drogue, de la prostitution et des appareils à sous, pour porter tous ses efforts sur la classe ouvrière, malgré une opposition d'ailleurs rapidement matée des éléments conservateurs du syndicat, incapables de s'adapter aux conditions historiques nouvelles. Le grand patronat et les autorités fédérales avaient temporairement réussi à interrompre son action en le faisant déporter ; à présent, la nouvelle de son retour au premier rang de la bataille syndicale pour l'unité ouvrière allait semer la panique dans les rangs de nos concurrents.

Nous arrivâmes à Rome vers la fin de l'après-midi. Une Cadillac nous attendait à l'aéroport, avec un chauffeur en livrée au volant, et une secrétaire italienne d'âge mûr qui parlait de Mike avec des trémolos émus dans la voix. M. Sarfatti s'excusait beaucoup, mais il n'avait pas pu s'arracher à son travail. Il travaillait énormément. Il préparait son voyage à New York. Il n'était pour ainsi dire pas sorti de sa villa depuis six semaines... Carlos approuva d'un geste bref de la tête.

— On n'est jamais assez prudent, dit-il. Il est bien gardé, au moins?

— Oh! absolument, assura la secrétaire. Je veille moi-même à ce que personne ne vienne le déranger. Il croyait être prêt à temps, mais New York le presse beaucoup de revenir immédiatement et il est obligé de mettre les bouchées doubles. C'est un grand événement dans sa vie, naturellement. Mais il se réjouit beaucoup de vous voir. Il m'a souvent parlé de vous. Il vous a connu à une époque où il faisait encore du figuratif, si j'ai bien compris. Oui, M. Sarfatti aime beaucoup parler de ses débuts artistiques, papotait la secrétaire. Il paraît qu'une de ses œuvres figure au musée du Folklore américain, à Brooklyn. Une statue intitulée « Big Bill Sugar »...

Carlos rattrapa son cigare juste à temps. Le visage de Swifty Zavrakos se brouilla dans une succession de tics nerveux effrayants. Je devais moi-même faire une drôle de tête ; seul Shimmy Kunitz ne manifesta pas la moindre émotion : il ne paraissait même pas savoir qu'il était là. Il avait toujours l'air tellement absent qu'on finissait par ne plus le voir.

— Il vous a parlé de ça ? demanda Carlos.

— Oh! mais oui, s'exclama la bonne femme, avec un grand sourire. Il se moque souvent de ses premiers efforts. Il ne les désavoue pas, à proprement parler : il les trouve même assez amusants. « Contessa, me dit-il — il m'appelle toujours « contessa », je ne sais trop pourquoi — contessa, à mes débuts, j'étais très figuratif — une espèce de primitif américain, comme Grandma Moses, du vrai naïf, quoi. Big Bill Sugar était peut-être ce que j'avais fait de mieux dans le genre — un joli échantillon de ce que nous appelons là-bas americana — un type, plié en deux, se tenant le ventre, là où il a reçu le crachin, avec le chapeau qui commence à glisser sur les yeux — mais ça n'allait pas loin. Je ne m'étais pas encore trouvé, bien sûr ; je commençais à peine à m'orienter en moi-même. Si jamais vous passez par Brooklyn, vous devriez tout de même voir ça. Vous constaterez que j'ai fait du chemin, depuis. » Mais je pense que vous connaissez mieux que moi l'œuvre de M. Sarfatti...

Carlos était revenu de sa surprise.

— Oui, Madame, dit-il avec emphase. Nous connaissons bien l'œuvre que Mike a accomplie et nous sommes sûrs qu'il fera des choses plus grandes encore. Permettez-moi de vous dire que vous travaillez pour un grand homme, pour un grand Américain dont tous les travailleurs attendent le retour avec impatience et dont le nom sera un jour connu du monde entier...

— Oh! mais je n'en doute absolument pas! s'exclama la secrétaire. Déjà *Alto*, à Milan, lui a consacré un article très élogieux. Et je peux vous assurer que depuis deux ans il n'a fait que travailler et qu'il se sent maintenant tout à fait prêt à faire sa rentrée aux États-Unis.

Carlos fit un geste bref de la tête et garda le silence. Il n'était jamais facile de savoir ce que les yeux de Swifty Zavrakos faisaient exactement, avec tous ses tics, mais j'avais l'impression qu'il me jetait des regards inquiets. Et je dois dire que je n'étais pas rassuré — quelque chose n'allait pas, il y avait un malentendu quelque part — j'éprouvais une confuse appréhension, une sorte de pressentiment qui commençait à tourner à l'angoisse.

La Cadillac filait à toute allure à travers la campagne romaine où l'on voyait des aqueducs en ruine et des cyprès. Puis elle s'enfonça dans un parc, roula un moment dans une allée de lauriers-roses et s'arrêta devant une villa qui paraissait entièrement bâtie en verre et qui avait une forme bizarre et asymétrique, une espèce de triangle penché. J'avais fait quelques visites au musée d'Art moderne à New York, mais je dois avouer que lorsque je fus à l'intérieur ce fut tout de même un choc : il était difficile d'imaginer que c'était là que vivait un des plus grands lutteurs du syndicalisme américain. Toutes les photos que j'avais vues de Mike Sarfatti le représentaient debout sur le quai de Hoboken, dans un paysage viril de grues, de chaînes, de bulldozers, de caisses et d'acier, qui était son élément naturel. Je me trouvais à présent dans une sorte de verrière, parmi des meubles aux formes tordues, qui paraissaient sortir d'un cauchemar, sous un plafond lumineux dont les couleurs changeaient sans cesse et d'où pendaient des objets en fer qui tournaient et bougeaient continuellement, cependant que des blocs de ciment, d'où pointaient des tubes, des tuyaux et des lames d'acier, dressaient leurs masses menaçantes dans tous les coins, et que sur les murs, des tableaux — enfin, je suppose que c'étaient des tableaux parce qu'ils avaient des cadres — vous jetaient à la figure des taches de couleurs sinistres et des lignes emmêlées comme des serpents, et vous donnaient envie de hurler. Je me tournai vers Carlos. Il se tenait la bouche ouverte, les yeux exorbités, le chapeau en arrière. Je crois bien qu'il avait peur. Quant à Swifty Zavrakos, il avait dû recevoir un tel choc que ses tics avaient cessé, son visage s'était figé dans une expression d'ahurissement et les traits étaient entièrement discernables: j'avais l'impression de le rencontrer pour la première fois. Shimmy Kunitz lui-même était sorti de sa torpeur, regardant rapidement de tous côtés, la main à la poche, comme s'il s'attendait qu'on lui tirât dessus.

— Qu'est-ce que c'est que ça ? aboya Carlos.

Il était en train de désigner du doigt une espèce de pieuvre multicolore qui paraissait vous ouvrir ses tentacules comme pour vous étouffer.

— C'est un fauteuil de Buzzoni, dit une voix.

Mike Sarfatti se tenait au seuil. Les images de trente ans d'histoire du port de New York, de batailles impitoyables sur le front de mer qui avaient fait de notre syndicat une des forces les plus dynamiques et les mieux organisées du mouvement ouvrier et étaient sur le point de libérer complètement le travailleur américain de l'emprise des idéologies et de la politique pour placer la défense de leurs intérêts sur le terrain purement professionnel, se succédèrent soudain devant mes yeux. Deux mille tonnes de viande avariée, dans les frigos sabotés sur les quais, élevant leur puanteur plus haut que l'Empire State Building, les corps de Frankie Shore, de Benny Stigman, de Rocky Fish, et d'autres socio-traîtres qui avaient essayé d'organiser le noyautage de l'Union par des éléments politiques subversifs, suspendus à des crochets à viande à l'entrée des abattoirs, le visage brûlé par l'acide sulfurique de Sam Berg, au lendemain de son fameux article dénonçant ce qu'il appelait « la mainmise du syndicat du crime sur le mouvement ouvrier », les attentats contre Walter Reuther et Meany me revinrent en quelques éclairs fulgurants à la mémoire, cependant que je regardais le héros de cette épopée victorieuse qui se tenait à présent devant moi. Il portait une combinaison d'ouvrier, et paraissait revenir d'un chantier. Je le croyais plus âgé : il ne devait guère avoir plus de cinquante ans. Des mains puissantes, des épaules de lutteur, et un visage d'une admirable brutalité dont les traits paraissaient avoir été taillés à la hache. Mais j'ai été immédiatement frappé par l'expression hantée, torturée de ses yeux. Il paraissait non seulement préoccupé, mais encore obsédé — on remarquait même, sur son visage, par moments, une véritable stupeur, une sorte d'étonnement qui donnait presque à ce beau masque romain un air perdu, désorienté. On sentait, pendant qu'il nous parlait, qu'il pensait à autre chose. Il semblait tout de même heureux de voir Carlos. Quant à celui-ci, il avait les larmes aux yeux. Ils restèrent un bon moment embrassés, à se regarder affectueusement et à se taper sur l'épaule. Le maître d'hôtel en habit entra avec un plateau de boissons et le déposa sur un guéridon. Carlos vida son Martini, regardant autour de lui avec un dégoût évident.

— Qu'est-ce que c'est que ça ? demanda-t-il, en pointant vers le mur un doigt accusateur.

— C'est un Wols, dit Mike.

— Qu'est-ce que ça représente ?

— C'est un abstrait expressionniste.

— Un quoi ?

— Un abstrait expressionniste.

Carlos ricana. Ses lèvres se serrèrent autour de son cigare et il prit un air vexé, indigné.

— Je donnerai mille dollars au premier gars qui sera capable de me dire ce que ça représente, dit-il.

Mike parut irrité.

— Tu n'as pas l'habitude.

Carlos était assis lourdement dans son fauteuil, regardant autour de lui avec hostilité. Sarfatti suivait son regard.

— C'est un Miró, dit-il.

— Un enfant de cinq ans en ferait autant, dit Carlos. Et ça, qu'est-ce que c'est ?

— Un Soulages.

Carlos mâchonna un instant son cigare.

— Oui, eh bien, moi, je vais vous dire ce que c'est, annonça-t-il enfin. Il y a un nom pour ça... C'est la décadence.

Il nous regarda triomphalement.

— La décadence. Ils sont tous pourris en Europe, c'est connu. Complètement dégénérés. Les communistes n'ont qu'à se pencher pour tout ramasser. Je vous le dis : ils n'ont plus de fibre morale. De la pourriture. Il ne faudrait pas laisser nos troupes stationner ici : ça s'attrape. Et ça... Qu'est-ce que c'est que cette ordure ?

Il braquait son cigare vers une pièce de ciment informe et toute hérissée d'immenses aiguilles tordues et de clous rouillés, qui occupait le centre du salon. Mike se taisait. Ses narines s'étaient pincées et il regardait Carlos fixement. Il avait des yeux gris, très pâles, et il ne faisait pas bon se trouver sous ce regard-là. Je remarquai soudain qu'il serrait les poings. Brusquement, je retrouvais le Mike Sarfatti de la légende, le roi des docks de Hoboken, l'homme qui avait fait reculer Costello, Luciano, les cinq frères Anastasia et Dirty Spivak lui-même, l'homme qui avait été pendant quinze ans seul maître après Dieu sur les quais de New York.

— Le type qui a fait ça est complètement piqué, déclara Carlos fermement. On devrait l'enfermer.

— C'est une de mes dernières œuvres, dit Mike. C'est moi qui ai fait ça.

Il y eut un silence de mort. Carlos avait les yeux qui lui sortaient de la tête. Le visage de Swifty Zavrakos était parcouru de véritables décharges électriques : on avait l'impression que ses traits essayaient de fuir.

— C'est moi qui ai fait ça, répéta Mike.

Il paraissait vraiment furieux. Il fixait Carlos

avec une attention de bête de proie. Carlos semblait hésiter. Il prit sa pochette et s'épongea le front. Mais l'instinct de conservation fut le plus fort.

— Ah! bon, fit-il. Du moment que c'est toi qui l'as fait...

Il jeta un coup d'œil écœuré à la « sculpture » puis, manifestement, décida de l'oublier.

— Nous sommes venus pour te parler d'affaires, Mike, dit-il.

Mike ne l'écoutait pas. Il regardait la masse de ciment hérissée de clous et d'aiguilles avec fierté et lorsqu'il se mit à parler ce fut avec une douceur étrange — une sorte d'émerveillement dans la voix — et de nouveau cette expression d'étonnement, presque de naïveté passa sur ses traits.

— Ils l'ont reproduite dans *Alto*, dit-il. Sur la couverture. C'est la meilleure revue d'art, ici. Ils disent que j'ai réussi à suggérer la quatrième dimension — la dimension espace-temps, vous comprenez —, Einstein et tout ça. Je n'y avais pas pensé, naturellement : on ne sait jamais exactement ce qu'on fait, il y a toujours une part de mystère. Le subconscient, bien sûr. Ça a fait pas mal de remous. Comme je finance la revue, il y a eu toutes sortes de controverses. Mais ces gars-là sont incorruptibles. On peut pas les acheter. Ils ont des principes. C'est ce que j'ai fait de plus avancé, mais j'ai d'autres pièces en bas. Elles sont dans mon atelier.

— Nous sommes venus pour te parler d'affaires, Mike, répéta Carlos, d'une voix étranglée.

J'avais l'impression qu'il avait peur de se lever

de son fauteuil. Mais Mike était déjà à la porte.

— Vous venez ? nous cria-t-il avec impatience.

— Oui, Mike, dit Carlos. Oui. Nous venons.

Nous traversâmes un jardin exotique, avec des paons et des flamants en liberté qui se promenaient parmi des monstres de pierre que Mike caressait parfois au passage.

— Ça, c'est un nu de Moore, disait-il. Ça, c'est un Branco. Remarquez, c'est un peu dépassé, bien sûr. Je les ai achetés il y a déjà trois ans. C'étaient des pionniers, des précurseurs, ça mène à moi directement. Tous les critiques me le disent, ici.

Carlos me jeta un regard désespéré. A l'autre bout du jardin, il y avait un pavillon en verre dont le toit — en aluminium — commençait au sol et faisait une espèce de montagne russe avant de toucher terre à nouveau.

— C'est de Fissoni, dit Mike. Le meilleur architecte italien, à mon avis. C'est un communiste. Mais vous savez, le communisme ici n'a rien à voir avec celui de chez nous. Ce n'est pas subversif. Ça se passe uniquement dans la tête. C'est très intellectuel. Presque tous les meilleurs peintres et sculpteurs sont communistes, ici.

Carlos fit entendre une sorte de plainte. Il n'osait rien dire, mais il pointa rapidement le doigt vers le dos de Mike et puis se toucha la tête. Nous entrâmes dans le pavillon. A l'intérieur, autour d'une cuve de ciment, il y avait des caisses, des seaux, des sacs de plâtre, des outils de toutes sortes : on se serait cru dans un chantier. Et partout, aussi, il y avait les « œuvres » de Mike. Ce que ces « œuvres » pouvaient bien représenter et ce qu'elles valaient, je ne le sais pas encore à ce jour et sans doute ne le saurai-je jamais. Tout ce que je voyais, moi, c'étaient des masses de ciment aux formes bizarres d'où pointaient des bouts de fer et des espèces de tuyaux tordus.

— Ça ne ressemble à rien de ce que vous avez déjà vu, n'est-ce pas ? dit Mike, avec fierté. Les critiques de l'*Alto* disent qu'il s'agit de formes entièrement nouvelles. Ils me situent à la pointe du spatialisme — je parie qu'en Amérique on ne sait même pas ce que c'est.

— Non, Mike, dit Carlos, doucement, comme on parle à un malade, non, on ne sait pas encore chez nous ce que c'est.

— Eh bien, ils le sauront bientôt, dit Mike avec satisfaction. Toutes mes œuvres — il y en a trente exactement — prennent demain le chemin de New York. Elles seront exposées à la galerie Meyerson.

Je n'oublierai jamais le visage de Carlos lorsque Mike eut fini de parler. D'abord, une expression d'incrédulité, puis de panique, cependant qu'il se tournait vers nous, comme pour s'assurer que son ouïe ne l'avait pas trahi et qu'il avait bien entendu ce qu'il croyait avoir entendu. Mais ce qu'il avait dû lire sur nos physionomies — enfin, sur la mienne et sur celle de Shimmy Kunitz, parce que les tics qui se succédaient sur le visage de Swifty Zavrakos empêchaient de voir ce qui s'y passait — avait sans doute confirmé ses craintes parce qu'à l'expression d'ahurissement et de panique succéda soudain celle d'un calme effrayant.

— Parce que tu vas montrer ça à New York, Mike ? demanda-t-il.

— Oui, dit Mike Sarfatti. Et je vous promets que ça va faire sensation.

— Ça, c'est sûr, dit Carlos avec bonhomie.

A cet instant, je dois avouer que j'admirai vraiment la maîtrise qu'il exerçait sur lui-même. Car il n'était pas difficile d'imaginer ce qui allait se passer si Mike Sarfatti, l'homme qui incarnait les espoirs et les ambitions de nos militants à un moment particulièrement dramatique de l'histoire du syndicat, allait retourner à New York, non pour imposer d'une poigne de fer sa loi à nos concurrents, mais pour organiser une exposition d'art abstrait dans une galerie de Manhattan. Un immense éclat de rire, un véritable raz de marée de moquerie et de dérision — le héros légendaire sur lequel nous comptions pour faire l'unité des travailleurs d'une côte à l'autre des États-Unis à notre profit allait être l'objet d'une des plus grandes rigolades qui ait jamais secoué le mouvement ouvrier. Oui, j'admire encore aujourd'hui le calme de Carlos. C'est tout juste s'il suait un peu : il avait pris un nouveau cigare, il l'avait allumé, et à présent il regardait Mike tranquillement, les mains dans les poches, avec bonté.

— Le catalogue est déjà imprimé, dit Mike. J'en ai fait tirer cinq mille exemplaires.

— Ah ! bon, fit Carlos.

— Il faudra l'envoyer à tous nos amis, dit Mike.

— Bien sûr, on s'en occupera.

— Il faut que les journaux en parlent. C'est une question de prestige, c'est très important. D'ailleurs, ce que le syndicat devrait faire dès maintenant, c'est bâtir une Maison de la Culture à Hoboken.

Carlos parut un peu secoué.

— Une... quoi ?

— Une Maison de la Culture. Les Russes en bâtissent partout pour les travailleurs. Nous avons le tort de critiquer les communistes un peu aveuglément. Ils ont fait de bonnes choses — et nous devons les imiter dans ce qu'ils ont fait de mieux. D'ailleurs, le gars qui a fait la préface à mon catalogue, Zuccharelli, est un communiste. N'empêche que c'est le meilleur critique d'art aujourd'hui.

— Un communiste, hein ? murmura Carlos.

— Oui. Je lui dois beaucoup. Il m'a beaucoup encouragé. Sans lui, je n'aurais jamais songé à faire cette exposition à New York.

— Tiens, tiens, fit Carlos.

— Et il m'a vraiment beaucoup aidé à m'orienter dans ce que je faisais. Il le dit très bien dans sa préface, tenez : « Une sculpture vraiment spatiale doit signifier la notion einsteinienne temps-espace en modifiant constamment sa donnée sous les yeux de celui qui la regarde, dans une sorte de mutation contenue de la matière, suggérant l'absence totale de certitude permanente. C'est par là que l'œuvre de Sarfatti, en refusant l'immobilité, relève du relativisme historique marxiste et se situe résolument sur le terrain de l'art progressif, constituant une véritable victoire de l'en-avant plastique sur les éléments réactionnaires de la stagnation artistique qui cherchent au contraire à immobiliser les formes, en les fixant à jamais, à les empêcher d'avancer irrésistiblement vers des réalisations socialistes nouvelles... »

J'essuyai les gouttes de sueur froide qui me montaient au front : j'avais l'impression d'assister à quelque chose comme l'entrée solennelle du ver dans le fruit. Il n'était clairement plus possible de sauver Mike, de le guérir à temps : plusieurs mois de traitement seraient sans doute nécessaires, à supposer qu'il acceptât de s'y prêter. La seule chose qui comptait à présent, c'était le syndicat. Il nous fallait à tout prix préserver la légende du géant de Hoboken, mettre à l'abri une fois pour toutes son nom prestigieux, pour qu'il pût continuer à servir la cause de l'unité ouvrière, il fallait le sauver du ridicule qui risquait de nous balayer tous et faire pencher irrésistiblement la balance en faveur de nos ennemis. C'était un de ces moments de l'histoire où la grandeur de la cause l'emporte soudain sur toute autre considération, où l'importance du but poursuivi justifie tous les moyens. La question était de savoir si notre force morale était encore intacte, si nous étions encore assez forts et assez fermes dans nos convictions, ou si des années de prospérité et de vie facile avaient entamé nos volontés. Mais un coup d'œil à la physionomie indignée, bouleversée de Carlos, où commençait à se dessiner déjà une expression d'implacable résolution, me rassura complètement : je sentis que la décision du vieux militant était déjà prise. Je le vis faire un signe bref de la tête à Shimmy Kunitz. Mike se tenait debout au bord de la cuve de ciment d'où sa dernière « œuvre », sans doute inachevée, dressait un moignon hérissé de fil de fer barbelé. L'expression de son visage avait quelque chose de pathétique : un mélange de mégalomanie et d'étonnement sans bornes.

— Je ne savais pas que j'avais ça en moi, dit-il.

— Moi non plus, dit Carlos. Tu as dû l'attraper ici.

— Je veux que tous nos amis viennent voir ça. Je veux qu'ils soient fiers de moi.

— Oui, Mike, dit Carlos. Oui, mon fils. Ton nom restera ce qu'il a toujours été. Je vais faire ce qu'il faut pour ça.

— On nous accuse trop souvent d'être des brutes, dit Mike. Ils verront. Nous ne pouvons pas laisser à l'Europe le monopole de la culture...

Carlos et Shimmy Kunitz tirèrent presque en même temps. Mike rejeta violemment la tête en arrière, ouvrit les bras, se dressa de toute sa taille et demeura un instant ainsi, dans l'attitude même qu'il a conservée dans sa statue de ciment qui se dresse aujourd'hui dans la cour d'honneur du siège social du syndicat de Hoboken. Puis il tomba en avant. J'entendis un son étrange et tournai rapidement la tête. Carlos pleurait. Les larmes coulaient sur son visage épais auquel la pitié, la colère, la honte et le désarroi finissaient par donner un masque de grandeur tragique.

— Ils l'ont eu, murmurait-il. Ils ont eu le meilleur d'entre nous. Je l'aimais comme un fils. Mais comme ça, au moins, il ne souffre plus. Et la seule chose qui compte, c'est le syndicat, c'est l'unité des travailleurs qu'il a servie toute sa vie. Comme ça, le nom de Mike Sarfatti, le pionnier de l'indépendance syndicale, demeurera aussi longtemps que le front de mer de Hoboken — et c'est là qu'il aura sa statue. Il n'y aura qu'à le mettre à sécher dans une des caisses, puisque ça doit partir demain. Ça arrivera bien dur. On dira qu'il est rentré avec nous. Aidez-moi.

Il tomba la veste et se mit au travail. Nous l'aidâmes de notre mieux et bientôt la statue un peu fruste que tout le monde peut admirer aujourd'hui à Hoboken commença à se dessiner dans le ciment. De temps en temps, Carlos s'arrêtait, s'essuyait les yeux et jetait un regard de haine aux blocs informes qui nous entouraient.

— La décadence, murmurait-il en soupirant. La décadence, voilà ce que c'est.

Le faux

— Votre Van Gogh est un faux.

S... était assis derrière son bureau, sous sa dernière acquisition : un Rembrandt qu'il venait d'enlever de haute lutte à la vente de New York, où les plus grands musées du monde avaient fini par se reconnaître battus. Effondré dans un fauteuil, Baretta, avec sa cravate grise, sa perle noire, ses cheveux tout blancs, l'élégance discrète de son complet de coupe stricte et son monocle luttant en vain contre sa corpulence et la mobilité méditerranéenne des traits empâtés, prit sa pochette et s'épongea le front.

— Vous êtes le seul à le proclamer partout. Il y a eu quelques doutes, à un moment... Je ne le nie pas. J'ai pris un risque. Mais aujourd'hui, l'affaire est tranchée : le portrait est authentique. La manière est incontestable, reconnaissable dans chaque touche de pinceau...

S... jouait avec un coupe-papier en ivoire, d'un air ennuyé.

— Eh bien, où est le problème, alors ? Estimez-vous heureux de posséder ce chef-d'œuvre.

— Tout ce que je vous demande, c'est de ne pas vous prononcer. Ne jetez pas votre poids dans la balance.

S... sourit légèrement.

— J'étais représenté aux enchères... Je me suis abstenu.

— Les marchands vous suivent comme des moutons. Ils craignent de vous irriter. Et puis, soyons francs : vous contrôlez les plus grands financièrement...

— On exagère, dit S... J'ai pris simplement quelques précautions pour m'assurer une certaine priorité dans les ventes...

Le regard de Baretta était presque suppliant.

— Je ne vois pas ce qui vous a dressé contre moi dans cette affaire.

— Mon cher ami, soyons sérieux. Parce que je n'ai pas acheté ce Van Gogh, l'avis des experts mettant en doute son authenticité a évidemment pris quelque relief. Mais si je l'avais acheté, il vous aurait échappé. Alors ? Que voulez-vous que je fasse, exactement ?

— Vous avez mobilisé contre ce tableau tous les avis autorisés, dit Baretta. Je suis au courant : vous mettez à démontrer qu'il s'agit d'un faux toute l'influence que vous possédez. Et votre influence est grande, très grande. Il vous suffirait de dire un mot...

S... jeta le coupe-papier en ivoire sur la table et se leva.

— Je regrette, mon cher. Je regrette infiniment. Il s'agit d'une question de principe que vous devriez être le premier à comprendre. Je ne me rendrai pas complice d'une supercherie, même par abstention. Vous avez une très belle collection et vous devriez reconnaître tout simplement que vous vous êtes trompé. Je ne transige pas sur les questions d'authenticité. Dans un monde où le truquage et les fausses valeurs triomphent partout, la seule certitude qui nous reste est celle des chefs-d'œuvre. Nous devons défendre notre société contre les faussaires de toute espèce. Pour moi, les œuvres d'art sont sacrées, l'authenticité pour moi est une religion... Votre Van Gogh est un faux. Ce génie tragique a été suffisamment trahi de son vivant — nous pouvons, nous devons le protéger au moins contre les trahisons posthumes.

— C'est votre dernier mot ?

— Je m'étonne qu'un homme de votre honorabilité puisse me demander de me rendre complice d'une telle opération...

— Je l'ai payé trois cent mille dollars, dit Baretta.

S... eut un geste dédaigneux.

— Je sais, je sais... Vous avez fait délibérément monter le prix des enchères : car enfin, si vous l'aviez eu pour une bouchée de pain... C'est vraiment cousu de fil blanc.

— En tout cas, depuis que vous avez eu quelques paroles malheureuses, les mines embarrassées que les gens prennent en regardant mon tableau... Vous devriez quand même comprendre...

— Je comprends, dit S..., mais je n'approuve pas. Brûlez la toile, voilà un geste qui rehausserait non seulement le prestige de votre collection, mais encore votre réputation d'homme d'honneur. Et, encore une fois, il ne s'agit pas de vous : il s'agit de Van Gogh.

Le visage de Baretta se durcit. S... y reconnut une expression qui lui était familière : celle qui ne manquait jamais de venir sur le visage de ses rivaux en affaires lorsqu'il les écartait du marché. A la bonne heure, pensa-t-il ironiquement, c'est ainsi que l'on se fait des amis... Mais l'affaire mettait en jeu une des rares choses qui lui tenaient vraiment à cœur et touchait à un de ses besoins les plus profonds : le besoin d'authenticité. Il ne s'attardait jamais à s'interroger, et il ne s'était jamais demandé d'où lui venait cette étrange nostalgie. Peut-être d'une absence totale d'illusions : il savait qu'il ne pouvait avoir confiance en personne, qu'il devait tout à son extraordinaire réussite financière, à la puissance acquise, à l'argent, et qu'il vivait entouré d'une hypocrisie feutrée et confortable qui éloignait les rumeurs du monde, mais qui n'absorbait pas entièrement tous les échos insidieux. « La plus belle collection privée de Greco, cela ne lui suffit pas... Il faut encore qu'il aille disputer le Rembrandt aux musées américains. Pas mal, pour un petit va-nu-pieds de Smyrne qui volait aux étalages et vendait des cartes postales obscènes dans le port... Il est bourré de complexes, malgré les airs assurés qu'il se donne : toute cette poursuite des chefs-d'œuvre n'est qu'un effort pour oublier ses origines. » Peut-être avait-on raison. Il y avait si longtemps qu'il s'était un peu perdu de vue — il ne savait même plus lui-même s'il ensait en anglais, en turc, ou en arménien — qu'un objet d'art immuable dans son identité lui inspirait cette piété que seules peuvent éveiller dans les âmes inquiètes les certitudes absolues. Deux châteaux en France, les plus somptueuses demeures à New York, à Londres, un goût impeccable, les plus flatteuses décorations, un passeport britannique — et cependant il suffisait de cette trace d'accent chantant qu'il conservait dans les sept langues qu'il parlait couramment et d'un type physique qu'il est convenu d'appeler « levantin », mais que l'on retrouve pourtant aussi sur les figures sculptées des plus hautes époques de l'art, de Sumer à l'Égypte et de l'Assur à l'Iran, pour qu'on le soupçonnât hanté par un obscur sentiment d'infériorité sociale — on n'osait plus dire « raciale » — et, parce que sa flotte marchande était aussi puissante que celle des Grecs et que dans ses salons les Titien et les Vélasquez voisinaient avec le seul Vermeer authentique découvert depuis les faux de Van Meegeren, on murmurait que, bientôt, il serait impossible d'accrocher chez soi une toile de maître sans faire figure de parvenu. S... n'ignorait rien de ces flèches d'ailleurs fatiguées qui sifflaient derrière son dos et qu'il acceptait comme des égards qui lui étaient dus : il recevait trop bien pour que le Tout-Paris lui refusât ses informateurs. Ceux-là même qui recherchaient avec le plus d'empressement sa compagnie, afin de passer à bon compte des vacances agréables à bord de son yacht ou dans sa propriété du cap d'Antibes, étaient les premiers à se gausser du luxe ostentatoire dont ils étaient aussi naturellement les premiers à profiter, et lorsqu'un restant de pudeur ou simplement l'habileté les empêchaient de pratiquer trop ouvertement ces exercices de rétablissement psychologiques, ils savaient laisser percer juste ce qu'il fallait d'ironie dans leurs propos pour reprendre leurs distances, entre deux invitations à dîner. Car S... continuait à les inviter : il n'était dupe ni de leurs flagorneries ni de sa propre vanité un peu trouble qui trouvait son compte à les voir graviter autour de lui. Il les appelait « mes faux », et lorsqu'ils étaient assis à sa table ou qu'il les voyait, par la fenêtre de sa villa, faire du ski nautique derrière les vedettes rapides qu'il mettait à leur disposition, il souriait un peu et levait les yeux avec gratitude vers quelque pièce rare de sa collection dont rien ne pouvait atteindre ni mettre en doute la rassurante authenticité.

Il n'avait mis dans sa campagne contre le Van Gogh de Baretta nulle animosité personnelle : parti d'une petite épicerie de Naples pour se trouver aujourd'hui à la tête du plus grand trust d'alimentation d'Italie, l'homme lui était plutôt sympathique. Il comprenait ce besoin de couvrir la trace des gorgonzolas et des salamis sur ses murs par des toiles de maîtres, seuls blasons dont l'argent peut encore chercher à se parer. Mais le Van Gogh était un faux. Baretta le savait parfaitement. Et puisqu'il s'obstinait à vouloir prouver son authenticité en achetant des experts ou leur silence, il s'engageait sur le terrain de la puissance pure et méritait ainsi une leçon de la part de ceux qui montaient encore bonne garde autour de la règle du jeu.

— J'ai sur mon bureau l'expertise de Falkenheimer, dit S... Je ne savais trop quoi en faire, mais après vous avoir écouté... Je la communique dès aujourd'hui aux journaux. Il ne suffit pas, cher ami, de pouvoir s'acheter de beaux tableaux : nous avons tous de l'argent. Encore faut-il témoigner aux œuvres authentiques quelque simple respect, à défaut de véritable piété... Ce sont après tout des objets de culte.

Baretta se dressa lentement hors de son fauteuil. Il baissait le front et serrait les poings. S... observa l'expression implacable, meurtrière, de sa physionomie avec plaisir : elle le rajeunissait. Elle lui rappelait l'époque où il fallait arracher de haute lutte chaque affaire à un concurrent — une époque où il avait encore des concurrents.

— Je vous revaudrai ça, gronda l'Italien. Vous pouvez compter sur moi. Nous avons parcouru à peu près le même chemin dans la vie. Vous verrez que l'on apprend dans les rues de Naples des coups aussi foireux que dans celles de Smyrne.

Il se rua hors du bureau. S... ne se sentait pas invulnérable, mais il ne voyait guère quel coup un homme, fût-il richissime, pouvait encore lui porter. Il alluma un cigare, cependant que ses pensées faisaient, avec cette rapidité à laquelle il devait sa fortune, le tour de ses affaires, pour s'assurer que tous les trous étaient bien bouchés et l'étanchéité p[illegible]e. Depuis le règlement à l'amiable du conflit qui l'opposait au fisc américain et l'établissement à Panama du siège de son empire flottant, rien ni personne ne pouvait plus le menacer. Et cependant, la conversation avec Baretta lui laissa un léger malaise : toujours cette insécurité secrète qui l'habitait. Il laissa son cigare dans le cendrier, se leva et rejoignit sa femme dans le salon bleu. Son inquiétude ne s'estompait jamais entièrement, mais lorsqu'il prenait la main d'Alfiera dans la sienne ou qu'il effleurait des lèvres sa chevelure, il éprouvait un sentiment qu'à défaut de meilleure définition il appelait « certitude » : le seul instant de confiance absolue qu'il ne mît pas en doute au moment même où il le goûtait.

— Vous voilà enfin, dit-elle.

Il se pencha sur son front.

— J'étais retenu par un fâcheux... Eh bien, comment cela s'est-il passé ?

— Ma mère nous a naturellement traînés dans les maisons de couture, mais mon père s'est rebiffé. Nous avons fini au musée de la Marine. Très ennuyeux.

— Il faut savoir s'ennuyer un petit peu, dit-il. Sans quoi les choses perdent de leur goût...

Les parents d'Alfiera étaient venus la voir d'Italie. Un séjour de trois mois : S... avait, courtoisement mais fermement, retenu un appartement au Ritz.

Il avait rencontré sa jeune femme à Rome, deux ans auparavant, au cours d'un déjeuner à l'ambassade du Liban. Elle venait d'arriver de leur domaine familial de Sicile où elle avait été élevée et qu'elle quittait pour la première fois, et, chaperonnée par sa mère, avait en quelques semaines jeté l'émoi dans une société pourtant singulièrement blasée. Elle avait alors à peine dix-huit ans et sa beauté était *rare*, au sens propre du mot. On eût dit que la nature l'avait créée pour affirmer sa souveraineté et remettre à sa place tout ce que la main de l'homme avait accompli. Sous une chevelure noire qui paraissait prêter à la lumière son éclat plutôt que le recevoir, le front, les yeux, les lèvres étaient dans leur harmonie comme un défi de la vie à l'art, et le nez, dont la finesse n'excluait cependant pas le caractère ni la fermeté, donnait au visage une touche de légèreté qui le sauvait de cette froideur qui va presque toujours de pair avec la recherche trop délibérée d'une perfection que seule la nature, dans ses grands moments d'inspiration ou dans les mystérieux jeux du hasard, parvient à atteindre, ou peut-être à éviter. Un chef-d'œuvre : tel était l'avis unanime de ceux qui regardaient le visage d'Alfiera.

Malgré tous les hommages, les compliments, les soupirs et les élans qu'elle suscitait, la jeune fille était d'une modestie et d'une timidité dont les bonnes sœurs du couvent où elle avait été élevée étaient sans doute en partie responsables. Elle paraissait toujours embarrassée et surprise par ce murmure flatteur qui la suivait partout ; sous les regards fervents que même les hommes les plus discrets ne pouvaient empêcher de devenir un peu trop insistants, elle pâlissait, se détournait, pressait le pas, et son expression trahissait un manque d'assurance et même un désarroi assez surprenants chez une enfant aussi choyée ; il était difficile d'imaginer un être à la fois plus adorable et moins conscient de sa beauté.

S... avait vingt-deux ans de plus qu'Alfiera, mais ni la mère de la jeune fille, ni son père, un de ces ducs qui foisonnent dans le sud de l'Italie et dont le blason désargenté n'évoque plus que quelques restes de *latifundia* mangés par les chèvres, ne trouvèrent rien d'anormal à cette différence d'âge ; au contraire, la timidité extrême de la jeune fille, son manque de confiance en elle-même dont aucun hommage, aucun regard éperdu d'admiration ne parvenait à la guérir, tout paraissait recommander l'union avec un homme expérimenté et fort ; et la réputation de S... à cet égard n'était plus à faire. Alfiera elle-même acceptait la cour qu'il lui faisait avec un plaisir évident et même avec gratitude. Il n'y eut pas de fiançailles et le mariage fut célébré trois semaines après leur première rencontre. Personne ne s'attendait que S... se « rangeât » si vite et que cet « aventurier », ainsi qu'on l'appelait, sans trop savoir pourquoi, ce « pirate » toujours suspendu aux fils téléphoniques qui le reliaient à toutes les bourses du monde, pût devenir en un tour de main un mari aussi empressé et dévoué, qui consacrait plus de temps à la compagnie de sa jeune femme qu'à ses affaires ou à ses collections. S... était amoureux, sincèrement et profondément, mais ceux qui se targuaient de bien le connaître et qui se disaient d'autant plus volontiers ses amis qu'ils le critiquaient davantage, ne manquaient pas d'insinuer que l'amour n'était peut-être pas la seule explication de cet air de triomphe qu'il arborait depuis son mariage et qu'il y avait dans le cœur de cet amateur d'art une joie un peu moins pure : celle d'avoir enlevé aux autres un chef-d'œuvre plus parfait et plus précieux que tous ses Vélasquez et ses Greco. Le couple s'installa à Paris, dans l'ancien hôtel des ambassadeurs d'Espagne, au Marais. Pendant six mois, S... négligea ses affaires, ses amis, ses tableaux ; ses bateaux continuaient à sillonner les océans et ses représentants aux quatre coins du monde ne manquaient pas de lui câbler les rapports sur leurs trouvailles et les grandes ventes qui se préparaient, mais il était évident que rien ne le touchait en dehors d'Alfiera ; son bonheur avait une qualité qui paraissait réduire le monde à l'état d'un satellite lointain et dépourvu d'intérêt.

— Vous semblez soucieux.

— Je le suis. Il n'est jamais agréable de frapper un homme qui ne vous a rien fait personnellement à son point le plus sensible : la vanité... C'est pourtant ce que je vais faire.

— Pourquoi donc ?

La voix de S... monta un peu et, comme toujours lorsqu'il était irrité, la trace d'accent chantant devint plus perceptible.

— Une question de principe, ma chérie. On essaie d'établir, à coups de millions, une conspiration de silence autour d'une œuvre de faussaire, et si nous n'y mettons pas bon ordre, bientôt personne ne se souciera plus de distinguer le vrai du faux et les collections les plus admirables ne signifieront plus rien...

Il ne put s'empêcher de faire un geste emphatique vers un paysage du Caire, de Bellini, au-dessus de la cheminée. La jeune femme parut troublée. Elle baissa les yeux et une expression de gêne, presque de tristesse, jeta une ombre sur son visage. Elle posa timidement la main sur le bras de son mari.

— Ne soyez pas trop dur...

— Il le faut bien, parfois.

Ce fut un mois environ après que le point final eut été mis à la dispute du « Van Gogh inconnu » par la publication dans la grande presse du rapport écrasant du groupe d'experts sous la direction de Falkenheimer que S... trouva dans son courrier une photo que nulle explication n'accompagnait. Il la regarda distraitement. C'était le visage d'une très jeune fille dont le trait le plus remarquable était un nez en bec d'oiseau de proie particulièrement déplaisant. Il jeta la photo dans la corbeille à papier et n'y pensa plus. Le lendemain, une nouvelle copie de la photo lui parvint, et, au cours de la semaine qui suivit, chaque fois que son secrétaire lui apportait le courrier, il trouvait le visage au bec hideux qui le regardait. Enfin, en ouvrant un matin l'enveloppe, il découvrit un billet tapé à la machine qui accompagnait l'envoi. Le texte disait simplement : « Le chef-d'œuvre de votre collection est un faux. » S... haussa les épaules : il ne voyait pas en quoi cette photo grotesque pouvait l'intéresser et ce qu'elle avait à voir avec sa collection. Il allait déjà la jeter lorsqu'un doute soudain l'effleura : les yeux, le dessin des lèvres, quelque chose dans l'ovale du visage venait de lui rappeler vaguement Alfiera. C'était ridicule : il n'y avait vraiment aucune ressemblance réelle, à peine un lointain air de parenté. Il examina l'enveloppe : elle était datée d'Italie. Il se rappela que sa femme avait en Sicile d'innombrables cousines qu'il entretenait depuis des années. S... se proposa de lui en parler. Il mit la photo dans sa poche et l'oublia. Ce fut seulement au cours du dîner, ce soir-là — il avait convié ses beaux-parents qui partaient le lendemain — que la vague ressemblance lui revint à la mémoire. Il prit la photo et la tendit à sa femme.

— Regardez, ma chérie. J'ai trouvé cela dans le courrier ce matin. Il est difficile d'imaginer un appendice nasal plus malencontreux...

Le visage d'Alfiera devint d'une pâleur extrême. Ses lèvres tremblèrent, des larmes emplirent ses yeux ; elle jeta vers son père un regard implorant. Le duc, qui était aux prises avec son poisson, faillit s'étouffer. Ses joues se gonflèrent et devinrent cramoisies. Ses yeux sortaient des orbites, sa moustache épaisse et noire, soigneusement teinte, qui eût été beaucoup plus à sa place sur le visage de quelque carabinier que sur celui d'un authentique descendant du roi des Deux-Siciles, dressa ses lances, prête à charger ; il émit quelques grognements furieux, porta sa serviette à ses lèvres, et parut si visiblement incommodé que le maître d'hôtel se pencha vers lui avec sollicitude. La duchesse, qui venait d'émettre un jugement définitif sur la dernière performance de la Callas à l'Opéra, demeura la bouche ouverte et la fourchette levée ; sous la masse de cheveux roux, son visage trop poudré se décomposa et partit à la recherche de ses traits parmi les bourrelets de graisse. S... s'aperçut brusquement avec un certain étonnement que le nez de sa belle-mère, sans être aussi grotesque que celui de la photo, n'était pas sans avoir avec ce dernier quelque ressemblance : il s'arrêtait plus tôt, mais il allait incontestablement dans la même direction. Il le fixa avec une attention involontaire, et ne put s'empêcher ensuite de porter son regard avec quelque inquiétude vers le visage de sa femme : mais non, il n'y avait vraiment dans ces traits adorables aucune similitude avec ceux de sa mère, fort heureusement. Il posa son couteau et sa fourchette, se pencha, prit la main d'Alfiera dans la sienne.

— Qu'y a-t-il, ma chérie ?

— J'ai failli m'étouffer, voilà ce qu'il y a, dit le duc, avec emphase. On ne se méfie jamais assez avec le poisson. Je suis désolé, mon enfant, de t'avoir causé cette émotion...

— Un homme de votre situation doit être au-dessus de cela, dit la duchesse, apparemment hors de propos, et sans que S... pût comprendre si elle parlait de l'arête ou reprenait une conversation dont le fil lui avait peut-être échappé. Vous êtes trop envié pour que tous ces potins sans aucun fondement... Il n'y a pas un mot de vrai là-dedans!

— Maman, je vous en prie, dit Alfiera d'une voix défaillante.

Le duc émit une série de grognements qu'un bulldog de bonne race n'eût pas désavoués. Le maître d'hôtel et les deux domestiques allaient et venaient autour d'eux avec une indifférence qui dissimulait mal la plus vive curiosité. S... remarqua que ni sa femme ni ses beaux-parents n'avaient regardé la photo. Au contraire, ils détournaient les yeux de cet objet posé sur la nappe avec une application soutenue. Alfiera demeurait figée ; elle avait jeté sa serviette et semblait prête à quitter la table ; elle fixait son mari de ses yeux agrandis avec une supplication muette ; lorsque celui-ci serra sa main dans la sienne, elle éclata en sanglots. S... fit signe aux domestiques de les laisser seuls. Il se leva, vint vers sa femme, se pencha sur elle.

— Ma chérie, je ne vois pas pourquoi cette photo ridicule...

Au mot « ridicule », Alfiera se raidit tout entière et S... fut épouvanté de découvrir sur ce visage d'une beauté si souveraine une expression de bête traquée. Lorsqu'il voulut la prendre dans ses bras, elle s'arracha soudain à son étreinte et s'enfuit.

— Il est naturel qu'un homme de votre situation ait des ennemis, dit le duc. Moi-même...

— Vous êtes heureux tous les deux, c'est la seule chose qui compte, dit sa femme.

— Alfiera a toujours été terriblement impressionnable, dit le duc. Demain, il n'y paraîtra plus...

— Il faut l'excuser, elle est encore si jeune...

S... quitta la table et voulut rejoindre sa femme : il trouva la porte de la chambre fermée et entendit des sanglots. Chaque fois qu'il frappait à la porte, les sanglots redoublaient. Après avoir supplié en vain qu'elle vînt lui ouvrir, il se retira dans son cabinet. Il avait complètement oublié la photo et se demandait ce qui avait bien pu plonger Alfiera dans cet état. Il se sentait inquiet, vaguement appréhensif et fort déconcerté. Il devait être là depuis un quart d'heure lorsque le téléphone sonna. Son secrétaire lui annonça que le signor Baretta désirait lui parler.

— Dites que je ne suis pas là.

— Il insiste. Il affirme que c'est important. Quelque chose au sujet d'une photo.

— Passez-le-moi.

La voix de Baretta au bout du fil était pleine de bonhomie, mais S... avait trop l'habitude de juger rapidement ses interlocuteurs pour ne pas y discerner une nuance de moquerie presque haineuse.

— Que me voulez-vous ?

— Vous avez reçu la photo, mon bon ami ?

— Quelle photo ?

— Celle de votre femme, pardi ! J'ai eu toutes les peines du monde à me la procurer. La famille a bien pris ses précautions. Ils n'ont jamais laissé photographier leur fille avant l'opération. Celle que je vous ai envoyée a été prise au couvent de Palerme par les bonnes sœurs ; une photo collective, je l'ai fait agrandir tout spécialement... Un simple échange de bons procédés. Son nez a été entièrement refait par un chirurgien de Milan lorsqu'elle avait seize ans. Vous voyez qu'il n'y a pas que mon Van Gogh qui est faux : le chef-d'œuvre de votre collection l'est aussi. Vous en avez à présent la preuve sous les yeux.

Il y eut un gros rire ; puis un déclic : Baretta avait raccroché.

S... demeura complètement immobile derrière son bureau. *Kurlik!* Le vieux mot de l'argot de Smyrne, terme insultant que les marchands turcs et arméniens emploient pour désigner ceux qui se laissent gruger, tous ceux qui sont naïfs, crédules, confiants, et, comme tels, méritent d'être exploités sans merci, retentit de tout son accent moqueur dans le silence de son cabinet. *Kurlik!* Il avait été berné par un couple de Siciliens désargentés, et il ne s'était trouvé personne parmi tous ceux qui se disaient ses amis pour lui révéler la supercherie. Ils devaient bien rire derrière son dos, trop heureux de le voir tomber dans le panneau, de le voir en adoration devant l'œuvre d'un faussaire, lui qui avait la réputation d'avoir l'œil si sûr, et qui ne transigeait jamais sur les questions d'authenticité... *Le chef-d'œuvre de votre collection est un faux...* En face de lui, une étude pour la *Crucifixion de Tolède* le nargua un instant de ses jaunes pâles et de ses verts profonds, puis se brouilla, disparut, le laissa seul dans un monde méprisant et hostile qui ne l'avait jamais vraiment accepté et ne voyait en lui qu'un parvenu qui avait trop l'habitude d'être exploité pour qu'on eût à se gêner avec lui. Alfiera! Le seul être humain en qui il eût eu entièrement confiance, le seul rapport humain auquel il se fût, dans sa vie, totalement fié... Elle avait servi de complice et d'instrument à des filous aux abois, lui avait caché son visage véritable, et, au cours de deux ans de tendre intimité, n'avait jamais rompu la conspiration du silence, ne lui avait même pas accordé ne fût-ce que la grâce d'un aveu... Il tenta de se ressaisir, de s'élever au-dessus de ces mesquineries : il était temps d'oublier enfin ses blessures secrètes, de se débarrasser une fois pour toutes du petit cireur de bottes qui mendiait dans les rues, dormait sous les étalages, et que n'importe qui pouvait injurier et humilier... Il entendit un faible bruit et ouvrit les yeux : Alfiera se tenait à la porte. Il se leva. Il avait appris les usages, les bonnes manières ; il connaissait les faiblesses de la nature humaine et était capable de les pardonner. Il se leva et tenta de reprendre le masque d'indulgente ironie qu'il savait si bien porter, de retrouver le personnage d'homme du monde tolérant qu'il savait être avec une telle aisance, mais lorsqu'il essaya de sourire, son visage tout entier se tordit ; il chercha à se réfugier dans l'impassibilité, mais ses lèvres tremblaient.

— Pourquoi ne m'avez-vous pas dit ?

— Mes parents...

Il entendit avec surprise sa voix aiguë, presque hystérique, crier quelque part, très loin :

— Vos parents sont de malhonnêtes gens...

Elle pleurait, une main sur la poignée de la porte, n'osant pas entrer, tournée vers lui avec une expression de bouleversante supplication. Il voulut aller vers elle, la prendre dans ses bras, lui dire... Il savait qu'il fallait faire preuve de générosité et de compréhension, que les blessures d'amour-propre ne devaient pas compter devant ces épaules secouées de sanglots, devant un tel chagrin. Et, certes, il eût tout pardonné à Alfiera, mais ce n'était pas Alfiera qui était devant lui : c'était une autre, une étrangère, qu'il ne connaissait même pas, que l'habileté d'un faussaire avait à tout jamais dérobée à ses regards. Sur ce visage adorable, une force impérieuse le poussait à reconstituer le bec hideux d'oiseau de proie, aux narines béantes et avides ; il fouillait les traits d'un œil aigu, cherchant le détail, la trace qui révélerait la supercherie, la marque qui trahirait la main du maquignon... Quelque chose de dur, d'implacable bougea dans son cœur. Alfiera se cacha la figure dans les mains.

— Oh, je vous en prie, ne me regardez pas ainsi...

— Calmez-vous. Vous comprendrez cependant que dans ces conditions...

S... eut quelque mal à obtenir le divorce. Le motif qu'il avait d'abord invoqué et qui fit sensation dans les journaux : faux et usage de faux, scandalisa le tribunal et le fit débouter au cours de la première instance, et ce fut seulement au prix d'un accord secret avec la famille d'Alfiera — le chiffre exact ne fut jamais connu — qu'il put assouvir son besoin d'authenticité. Il vit aujourd'hui assez retiré et se voue entièrement à sa collection, qui ne cesse de grandir. Il vient d'acquérir *la Madone bleue* de Raphaël, à la vente de Bâle.

Les joies de la nature

Il neigeait, le vent venait vous jeter les flocons dans les yeux et vous collait les paupières : le docteur eut quelque mal à trouver la roulotte. Le cirque s'apprêtait à reprendre la route, et, bien que le spectacle fût à peine terminé, les garçons de piste et des cavaliers cosaques commençaient déjà à tirer sur les cordages de la grande tente, cependant que les applaudissements et les derniers accords de l'orchestre retentissaient encore à l'intérieur. Un acrobate en tenue de voltige, un imperméable jeté sur les épaules, se faufilait parmi les flaques de neige fondue, un clown, assis au volant de sa Volkswagen, ôtait son faux nez et sa perruque, et le dompteur en grand uniforme rouge, la poitrine couverte de décorations, courait en tous sens, un parapluie ouvert à la main, en criant : « César! César! » ce qui donna au docteur l'impression assez bizarre qu'il avait perdu un de ses lions dans le noir. La roulotte se trouvait un peu à l'écart, sous un arbre ; sur la porte, il y avait une carte de visite : « Ignatz Mahler, artiste dramatique ». Le docteur grimpa les trois marches et frappa.

— Entrez! cria une voix enrouée.

Le docteur poussa la porte. La roulotte était confortablement meublée : un divan, un fauteuil, une table avec un vase de fleurs et deux poissons rouges dans un bocal, des rideaux en toile de Jouy dont le motif représentait des scènes de l'Antiquité. Une lampe était allumée sur la table de chevet et un homme était allongé sur le divan, parmi les coussins. Il portait un pyjama et une robe de chambre écarlates, des babouches jaunes, et serrait un gros cigare entre les dents. C'était un lilliputien. Il avait un visage blême, ridé et sans âge, aux traits à la fois poupins et usés. Le lilliputien salua le docteur d'un geste bref de la tête, mâchonna son cigare éteint et regarda devant lui avec une sorte d'attention hargneuse et fascinée : le docteur suivit son regard et dut faire aussitôt un certain effort pour ne pas manifester d'étonnement et conserver cet air calme et composé que l'on attend d'un homme de sa profession. Un être étrange se tenait assis par terre près d'un poêle allumé, le dos contre la paroi de la roulotte : sa tête paraissait soutenir le plafond comme une cariatide. C'était un géant. Le docteur estima qu'il devait mesurer deux mètres au moins des hanches à la racine des cheveux — les cheveux étaient d'un roux éclatant — quant à la longueur des jambes, pliées en deux, dont les genoux arrivaient presque au menton du personnage, il valait mieux ne pas y penser. Le géant portait un habit violet aux revers de soie ; un chapeau haut de forme, violet également, était posé à ses pieds : le haut-de-forme était sans doute destiné à accentuer encore sa taille monstrueuse pour l'émerveillement du public. Un foulard de laine enveloppait son cou, une bouche en fer à cheval fendait sa figure d'une oreille à l'autre ; sous des sourcils tristes de Pierrot, il avait de grands yeux doux aux cils étonnamment longs et pressait délicatement un mouchoir contre son nez ; il souffrait visiblement d'un gros rhume. Il éternua violemment, avec un soubresaut spasmodique qui lui fit toucher le plafond de la tête, ce qui eut pour effet de plonger immédiatement le lilliputien couché sur le divan dans un état d'agitation extrême.

— Attention, malheureux ! cria-t-il, vous allez me ruiner ! Bien sûr, vous êtes assuré, mais si vous faites des imprudences ils refuseront de payer !

Il se tourna vers le docteur.

— Ces géants ont la tête extrêmement fragile, expliqua-t-il. Tout comme les girafes. Et celui-là en particulier n'a aucune santé. Je voudrais que vous l'examiniez, docteur. Je crains une pneumonie...

Il se moucha.

— Il m'a d'ailleurs passé son rhume : ce malheureux joue les chats de gouttière tous les soirs, et avec le temps qu'il fait... Ces monstres sont vraiment très rares, il est à peu près impossible de les remplacer. Je voudrais que vous m'examiniez également, docteur. Ça ne va pas, ça ne va pas du tout...

— Eh bien, dit le docteur, nous allons commencer par vous, si vous le voulez bien, puisque vous êtes déjà couché...

— Permettez-moi d'abord de me présenter, dit le malade, Ignatz Mahler, artiste dramatique, pour vous servir. Je ne sais pas du tout ce que j'ai. Depuis quelques jours, mon organisme tout entier s'est détraqué. Je n'en peux plus — non, vraiment, je n'en peux plus...

— Nous allons voir ça, dit le docteur avec bonhomie.

Tout en auscultant le patient, il constata que celui-ci devait mesurer environ quatre-vingts ou quatre-vingt-cinq centimètres des pieds à la tête. A part cela, il était en parfaite santé et très normalement constitué. Un petit rhume de cerveau de rien du tout, pas même une grippe. Le docteur était en train de prendre sa tension artérielle — normale également — lorsque le géant, après avoir poussé quelques gros soupirs, dit plaintivement, avec un fort accent italien :

— Si vous permettez, Ignatz, je vais sortir un moment, pour me dégourdir les jambes...

— Je vous l'interdis formellement, cria Herr Mahler avec fureur. Vous m'avez coûté les yeux de la tête : rien que l'assurance me ruine, sans parler des frais d'entretien...

— Je vous suis très reconnaissant de tout ce que vous avez bien voulu faire pour moi, dit le géant, avec un léger trémolo dans la voix.

— Oui, eh bien, alors, tenez-vous tranquille, au lieu de jouer les Roméo avec cette créature... Oh! ça va, ça va, je suis parfaitement au courant. Tout le cirque en parle. Ces phénomènes, dit-il, en s'adressant au docteur, demandent des soins inouïs — j'en ai déjà perdu deux — le dernier, d'ailleurs, est parti avec ma femme. Ne me demandez pas ce qu'ils peuvent bien faire ensemble — car par-dessus le marché ils sont vicieux comme des couleuvres... Ils présentent maintenant leur numéro au cirque Knee, en Suisse — une concurrence scandaleuse — une offense aux bonnes mœurs d'ailleurs, absolument répugnant...

— Je n'y suis pour rien, dit le géant d'une voix contrite. Je ne connaissais même pas mon prédécesseur...

— Tous des voyous, déclara Herr Mahler, des détraqués... Ma femme, docteur, mesurait quatre-vingt-cinq centimètres exactement — vous voyez ça d'ici... Les hommes m'écœurent, docteur, ils m'écœurent complètement. Ils sont profondément vicieux. Quel plaisir peuvent-ils éprouver à voir un lilliputien et un géant s'exhiber ensemble, je voudrais bien le savoir. Mais pourtant, c'est cela qu'ils veulent. Il n'y a rien qui les amuse davantage. Et il faut bien gagner sa vie. Résultat : je suis obligé de traîner partout avec moi cette espèce de perche et je tremble à l'idée qu'il pourrait lui arriver quelque chose, ce qui ficherait encore une fois mon numéro par terre, et me réduirait à la misère. Et s'ils avaient encore quelque trace de conscience professionnelle... Mais non, ils se croient tout permis. Regardez celui-là, vous savez comment il a attrapé son rhume ? Vous savez pourquoi il veut sortir sous la neige, au risque de me ruiner ?

— Je vous en prie, Ignatz, fit le géant d'un ton suppliant.

— Il est amoureux ! Oui, docteur, aussi cocasse que cela puisse vous paraître, il est amoureux ! Ah ! Ah ! Ah ! Mon pauvre ami, qu'espérez-vous donc ? Savez-vous seulement de quoi vous avez l'air ? Vous êtes plus que monstrueux — vous êtes ridicule ! Vous n'avez absolument rien d'humain.

— Je l'aime, dit le géant.

— Vous l'avez entendu, docteur ? Vous l'avez entendu ? Il avoue. Il veut me quitter, voilà la vérité. Après tout ce que j'ai fait pour lui — je ne parle pas d'amitié, remarquez bien, je n'ai jamais demandé ça à personne...

— J'ai beaucoup d'amitié pour vous, Ignatz, vraiment, l'assura le géant.

— Je ne vous en demande pas tant. Tout ce que je veux, c'est vous empêcher de faire une bêtise. Croyez-vous qu'elle vous aime pour vos beaux yeux ? Elle veut vous avoir pour rien, voilà ce qu'elle veut. C'est une idée de son père : depuis que leur boa constrictor est mort, leur numéro ne vaut plus rien. Ils comptent sur vous pour remplacer le boa, et le père — un personnage sans aucune moralité, un alcoolique — vous a lancé sa fille dans les jambes pour que vous preniez place dans sa ménagerie, entre l'ours savant et le singe cycliste. Voilà, pauvre imbécile, pourquoi elle essaie de vous séduire. Mais je vais les traîner en justice, je vais les ruiner : j'ai un contrat en bonne et due forme, je ne me laisserai pas faire. Les hommes me dégoûtent, docteur, ils me dégoûtent prodigieusement. Ils sont tout simplement monstrueux. Monstrueux, voilà bien le mot. D'ailleurs, si vous voulez vraiment mon avis, ils n'existent pas encore : il faudrait les inventer. Les hommes, docteur, ah! ah! laissez-moi rire. Je demande à les voir : ça viendra peut-être un jour, grâce aux progrès de la médecine, mais pour l'instant, tout ce que je vois, c'est des créatures difformes — oui, docteur, parfaitement : difformes, moralement et intellectuellement, il n'y a pas d'autre mot. Il faut les écouter rire lorsque mon partenaire me prend dans ses bras et me donne le biberon — ils sont vulgaires, docteur, bestiaux et cruels, personne ne me fera jamais penser le contraire. Vous ne trouvez rien ?

— Vous paraissez en excellente santé, dit le docteur.

— Mais enfin, il doit y avoir tout de même quelque chose qui ne va pas ? cela me semble évident.

— Un petit rhume, fit le docteur avec un peu d'embarras.

Herr Mahler soupira.

— Mes parents étaient déjà ainsi, et mes grands-parents également. Une question d'hérédité. Est-ce qu'il y a quelque chose de nouveau dans ce domaine-là, docteur, du point de vue scientifique, je veux dire ? Aucune greffe possible, ou quelque chose comme ça ? On dit que c'est glandulaire.

— Les glandes, tout est là ! dit le géant d'un ton sentencieux.

— Qu'est-ce que vous en savez, vous ? cria le lilliputien. Vous n'avez jamais lu un livre de votre vie. Complètement inculte. Plus c'est grand, plus c'est bête. Mais écartez-vous donc du poêle, malheureux ! Vous savez bien que vous ne supportez pas les changements de température! Sa circulation me donne beaucoup d'inquiétude, docteur : il paraît que son cœur bat trop lentement, le moindre effort le fatigue et ce climat ne lui vaut rien. Le premier géant que j'ai eu — un Yougoslave que j'avais trouvé au Monténégro avant la guerre — s'évanouissait chaque fois qu'il avait des rapports sexuels, et vous savez comment sont les femmes... d'une curiosité! Par-dessus le marché, les lois sont mal faites : on n'a rien prévu à leur égard, ils sont considérés comme des êtres humains normaux, jouissant de tous les droits. Celui-ci, par exemple, si l'envie le prend de me quitter...

— Vous savez bien que je n'ai aucune intention de ce genre, protesta le géant. Je vous suis très attaché. Je vous suis très reconnaissant de tout ce que vous avez fait pour moi.

— Je m'occupe de mes intérêts, voilà tout. Si vous croyez qu'il est facile de vous remplacer...

— Je ne sais pas du tout ce que je ferais sans vous, déclara le géant. Avant de vous rencontrer, je n'étais rien. Vous avez changé ma vie. Vous m'avez fait voir le monde...

— Examinez-le, docteur. Chaque soir, il fait un peu de fièvre. Ses selles me donnent des inquiétudes : elles sont complètement décolorées. Il pisse toutes les dix minutes. Quelque chose ne va pas. Il est d'une émotivité extraordinaire. Je l'ai assuré, évidemment, mais j'avoue que je me suis habitué à lui. Il y a un bout de temps que nous sommes ensemble. Je ne vous cache pas que je suis malade de peur. Supposez qu'il meure, docteur, mon numéro est par terre! Et même sur le plan simplement humain, il faut tout de même que je prenne soin de lui. Dans l'état où il est... Ah! parlez-moi de la nature!

— Je suis profondément touché par ce que vous venez de dire, affirma le géant avec emphase. Vous pouvez compter sur moi. Je tiendrai le coup, je n'ai que vingt-trois ans. En général, les géants durent jusqu'à trente ans, parfois même davantage. Cela dépend de la taille et des conditions de vie. Je vous promets de faire de mon mieux.

— Alors, tenez-vous tranquille. Cessez de jouer les Roméo.

Le docteur se sentait légèrement abasourdi. Il eut soudain l'impression qu'il était lui-même ou bien trop grand, ou bien trop petit, et même qu'il y avait quelque chose d'anormal dans le seul fait d'être un homme. Il ausculta le géant avec attention : un gros rhume, rien de plus.

— Un gros rhume, dit-il, rien de plus.

Herr Mahler ôta le cigare de ses lèvres et se mit à rire.

— Ah! Ah! Ah! Un gros rhume, rien de plus! Vous entendez cela, Sébastien ? Voilà tout ce dont nous souffrons, vous et moi, un rhume! Tout le reste va très bien! Ah! Ah! Ah!

Le géant rit également. La roulotte trembla. Le docteur rangeait son stéthoscope.

— J'ai envie tout de même de le faire passer à la radio, déclara Herr Mahler, une fois son hilarité calmée. On trouvera peut-être quelque chose. Il n'a rien aux poumons, à votre avis ? Ils se gâtent très vite, vous savez. Le Yougoslave que j'avais a été tué par un simple furoncle à la fesse dans sa vingtième année. On dit que le salopard qui est parti avec ma femme — un Français, soit dit en passant — est atteint de phtisie. Je vous serais reconnaissant de l'examiner attentivement. Ça peut le prendre n'importe où. En tout cas, il y a une chose qui leur est fatale : c'est lorsqu'ils tombent amoureux. Les émotions, ça les tue net. C'est une chose connue, n'est-ce pas, docteur ? Dites-le-lui.

— Je vous assure, Ignatz, que j'ai pour cette jeune fille les sentiments les plus purs.

— Ah! Ah! Ah! Vous êtes tous pareils. Votre prédécesseur disait la même chose en parlant de ma femme. Il sont partis ensemble, et maintenant il est phtisique. Il ne l'a pas volé, d'ailleurs. Je voudrais bien savoir, du reste, comment ils font. Ma femme avait à peine quatre-vingt-cinq centimètres et ce voyou frisait les trois mètres : il ne pouvait marcher qu'appuyé sur des béquilles. Je donnerais n'importe quoi pour savoir comment ils s'arrangent — une simple curiosité professionnelle, je vous jure...

La porte s'ouvrit, et une fillette d'une douzaine d'années entra dans la roulotte. Elle portait un béret et ses cheveux très blonds tombaient en nattes sur le col relevé de son pardessus. Elle referma la porte derrière elle, et jeta un coup d'œil sévère au lilliputien, lequel se dressa instantanément sur son lit. La fillette se détourna de lui et s'approcha du géant. Celui-ci rougit violemment et se mit à transpirer. Herr Mahler croisa les bras sur sa poitrine, mordit son cigare et fit entendre un rire moqueur.

— C'est ça, cria-t-il, faites comme chez vous, ne vous gênez plus !

La fillette ne lui prêta pas la moindre attention. Elle leva les yeux vers le visage du géant. Celui-ci sourit, et ce fut un sourire tellement timide et enfantin que le docteur sentit son cœur se serrer.

— Tu n'es pas venu comme tu me l'avais promis, Sébastien, dit la fillette.

— Elle veut sa mort ! glapit le lilliputien.

— Je suis un peu enrhumé, mademoiselle Eva, murmura le géant.

— Hier soir, ils ont passé deux heures dehors, à se tenir par la main au clair de lune ! cria Herr Mahler. Tout le cirque en jase ! Il n'avait même pas son pardessus ! Elle va me ruiner !

— Je lui ai donné une couverture de laine, dit la fillette. Il ne faisait d'ailleurs pas froid.

— Je connais parfaitement le but de toutes ces intrigues, cria Herr Mahler. Ton père est derrière tout cela ! Vous avez perdu le boa, les chiens savants cela ne vous suffit plus, alors vous voulez le géant pour la ménagerie. Je n'ai aucune intention de me laisser voler. J'ai des contrats en règle. Je vais avertir la police. Je vais vous traîner en justice, je vous le promets !

— Sébastien est libre de faire ce qui lui plaît, dit la fillette. N'est-ce pas, Sébastien ?

— C'est tout à fait exact, mademoiselle Eva,

dit le géant. Je suis entièrement libre de faire ce qui me plaît.

La fillette levait vers lui rêveusement ses yeux bleus.

— Tu es beau, Sébastien, dit-elle gravement. Je t'aime, tu sais.

Le géant sourit et baissa les cils. La fillette posa une main minuscule sur la patte énorme.

— Regardez-les, hurla Herr Mahler. Aucune pudeur! Elle vient ici faire du débauchage! Quel monde, docteur, quel monde abominable! Mais faites donc quelque chose, expliquez-lui, elle va le tuer!

— Sébastien n'a pas peur, dit la fillette. Et vous n'avez pas le droit de le traiter comme s'il était un objet.

— Il me coûte cinquante marks par jour rien qu'en vitamines, cria Herr Mahler. Vous n'avez pas les moyens de l'entretenir, je vous le dis, moi. Vous savez ce qu'il consomme, en une journée ? Cinq kilos de viande, pour ne parler que de protéines!

— Un homme ne vit pas seulement de pain, déclara soudain Sébastien.

— Docteur, expliquez donc à cette gourgandine que cet être-là est incapable de supporter la moindre émotion, qu'elle le laisse tranquille.

— Excusez-moi, dit le docteur, mais cela sort vraiment un peu de ma compétence.

— Je sais, dit Herr Mahler, et c'est pourquoi je l'ai fait également examiner par des vétérinaires. Il lui faut des soins spéciaux : il ne durera pas quinze jours s'il me quitte.

— Je n'ai aucune intention de vous quitter, Ignatz, dit Sébastien. Mais vous ne pouvez pas m'empêcher de voir mes amis.

— Il est temps que vous compreniez, Herr Mahler, dit la fillette, que Sébastien est un être humain.

— Un être humain! cria Herr Mahler. Vous entendez cela, docteur? Et moi, est-ce que je suis un être humain! Docteur...

— Excusez-moi, dit le docteur, mais il faut que je parte, vraiment. Je vais vous faire une ordonnance.

La fillette regardait le visage du géant avec émerveillement. Sébastien baissait les yeux. Son visage interminable, au menton en galoche et aux sourcils de Pierrot, avait une expression de bonheur. Le docteur ne put s'empêcher de jeter à la dérobée un coup d'œil à la menotte fragile posée sur la paume énorme. Sébastien grattait timidement d'un doigt le bord de son haut-de-forme violet.

— Tu devrais venir avec moi, dit la petite. Papa voudrait te parler.

— Je viendrai avec plaisir, dit le géant.

Il se pencha en avant, se plia littéralement en deux et en étendant le bras posa la main sur la poignée de la porte. Herr Mahler le regardait faire avec une horreur fascinée.

— Je vous l'interdis formellement! cria-t-il. Vous allez attraper une pneumonie! Si vous mettez le nez dehors, je ne réponds plus de rien!

— C'est un tyran, dit la fillette. Ne l'écoute pas, Sébastien. Tu as le droit de vivre comme tout le monde.

— Comme tout le monde ! cria Herr Mahler d'une voix désolée, en levant les yeux au ciel.

Le géant était en train de se glisser hors de la roulotte. Il avait déjà réussi à passer une jambe dehors et essayait de sortir l'autre sans rien renverser. La fillette le suivit, tenant son haut-de-forme à la main. Avant de sortir, elle jeta un coup d'œil triomphant au lilliputien.

— Soyez tranquille, j'en prendrai bien soin, dit-elle. Papa vous envoie ses amitiés.

Elle sortit et referma la porte.

— C'est injuste, c'est abominable ! cria Herr Mahler. Il y a des moments où j'ai honte d'être un homme...

Le docteur prescrivait un peu d'aspirine.

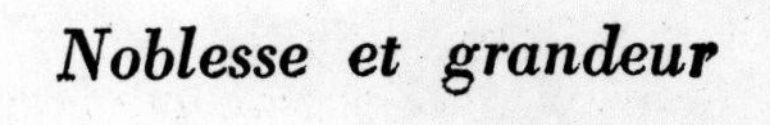

Noblesse et grandeur

I

— On les a tous bouffés! explique Adrien.

A l'affût sur le toit, avec, à leurs pieds, le village assoupi, ils ont vainement guetté toute la nuit un chant de coq ou un hurlement de chien.

— Les chiens ? piaille Panaït. Tu crois qu'on a bouffé aussi tous les chiens ?

Il part d'un rire gras, postillonnant : la nuit silencieuse en est toute souillée.

— Vos gueules! ordonne Kopfff.

Les trois Roumains se taisent. Le vieux Michel Christianu serre impatiemment les poings ; comme une proie de sa tanière, la maison de Fédor commence à sortir de l'ombre. Le sort du combat qui va être livré le laisse froid. Il s'est joint à l'Allemand pour régler des comptes personnels : leur voisin Fédor avait fait un gosse à sa fille. « Triste cela, songe Kopfff, triste! d'avoir à mourir avec des imbéciles et des brutes. Enfin... L'important est la Cause et non ceux qui la servent! » Nerveusement il ajuste le monocle dans son œil fatigué :

« De l'allure... du panache! » Ses bottes sont soigneusement cirées, ses boutons et son ceinturon brillent dans la nuit, il a mis sa plus belle tenue, sa tenue de gala : il s'agit de Mourir. Si seulement il pouvait dominer ce tremblement nerveux des lèvres, ce bégaiement et cette féroce envie d'uriner... Mais ce ne sont là que des détails. Il se sent inspiré, prêt à tout, entièrement à la hauteur de son rôle. Dans quelques minutes la colère du Führer va réduire en cendres le village de Plevtsi. C'est un joli village, enfermé dans la forêt subcarpatique, d'aspect paisible et innocent... Les pins sentent bon et murmurent doucement, les maisons ont des volets rouges, agréables à l'œil dans toute cette verdure, et sur les toits les lucarnes sont souvent taillées en forme de cœur. Mais il ne faut pas se fier aux apparences. Ce village est un sournois, un traître, qui cache son jeu, un faux jeton de village. Ses habitants n'ont-ils pas osé se révolter, au premier son des canons de l'armée russe, n'ont-ils pas osé attaquer le détachement local des S. S., le disperser comme du vulgaire bétail ? N'ont-ils pas poussé leur impudence jusqu'à s'emparer des puits de pétrole au moment même où les gens bien intentionnés s'apprêtaient à y mettre le feu, pour les empêcher de tomber aux mains de l'ennemi ? Mais les maudits puits ne perdront rien pour attendre. Dans quelques minutes, sous les ordres de Kopfff, la partie saine de la population — le bourgmestre et le directeur des raffineries et le propriétaire du journal patriote local *En Avant* et le commissaire de police et quelques autres éléments sûrs, spécialement sortis de prison — la partie saine de la population, revenue de sa surprise, va passer à l'action. Ils sont peu nombreux, mais bien armés. Et leur but est simple. Mettre le feu aux puits. Puis fuir. Panaït tourne vers Kopfff son visage rond et ahuri. La bouche en est toujours ouverte sur des gencives édentées et pleines de salive. « Une lune qui baverait », constate Kopfff avec dégoût.

— On y va ? glapit Panaït.

La cartouche de dynamite lui donne des démangeaisons. Elle est destinée à son rival heureux et haï, Fédor, l'amant de Maria Christianu. Et Panaït a une rude envie de cette Maria de malheur ! Mais il a beau baver pour elle de sa plus belle bave, elle fait aussi peu attention à lui qu'à une limace.

— Ce n'est pas encore l'heure ! dit sèchement Kopfff.

Il se penche légèrement du toit. Le village minuscule, tapi au flanc d'un coteau, avec les tours des puits, debout comme des sentinelles, se précise de plus en plus, à mesure que blanchit la lune et que meurent les étoiles. D'un toit voisin, une silhouette agite les bras : c'est Malescu, directeur des raffineries *Soproso* (le nom complet est Société de Progrès Social). Sur trois ou quatre toits encore, Kopfff devine, plus qu'il ne voit, d'autres silhouettes. « Nous allons peut-être mourir. » Mais sa vie appartient au Führer. Quant à ces trois brutes roumaines, ces déchets d'une race inférieure, leur vie est peu de chose. Elle est bon marché comme les terrains des pays vierges.

— Ça lui apprendra à tourner autour des filles! grommelle Adrien en crachant.

— Oui, ça lui apprendra! gémit Panaït.

Il se met à pleurer, en bavant. Ses larmes elles-mêmes ont quelque chose de baveux, d'ignoble. Le vieux Michel Christianu ne dit rien. Il se contente de serrer un peu plus sa joue au poil dur contre la crosse de son fusil : l'âge lui a appris la sagesse et la modération. « Les voilà qui s'apprêtent à vider leurs basses querelles, pense Kopfff, à assouvir leurs viles rancœurs de bâtards... » Son visage a un air hagard, des gouttes de sueur mouillent son front, il est tout entier crispé autour de son monocle, les dents serrées. « Et quand je pense que plus tard on élèvera des monuments à la gloire de ces brutes aveugles et qu'on gravera leurs noms sur du marbre, à côté du mien... »

Il regarde sa montre.

— M... moins d... dix! annonce-t-il.

II

— Si elle continue à gueuler comme ça, dit Adrien, elle va finir par réveiller Fédor!

Depuis quelques secondes, ils entendent Maria hurler sous le toit. Ils l'ont enfermée dans la maison, pour l'empêcher de courir chez Fédor. Elle et son gros ventre se tiennent dans la cuisine et hurlent : sans doute cherche-t-elle à avertir son amant.

— Je vais la calmer, décide Adrien.

— Non, non! bave Panaït. Laisse-moi faire!

Il rampe sur le toit et descend par la trappe. Il tombe lourdement dans la cuisine et se fait mal. Il se relève et regarde Maria avec des yeux ronds. Maria est accroupie près de la porte. Elle tient son ventre à pleins bras, comme un de ces paniers de linge qu'elle porte au lavoir.

— Ne le touche pas! hurle-t-elle. Le Fédor te tuera si tu le touches!

La vieille mère Christianu commence à hurler également. Elle admet qu'un mari batte sa femme, un père sa fille ou un frère sa sœur... C'est la famille. Mais elle n'admet pas les coups venant d'un étranger... Elle hurle.

— Vos gueules! ordonne Panaït.

Très excité, il tend ses mains vers les jupes de Maria. Mais Maria s'envole littéralement devant lui. Panaït en est très étonné. Il finit quand même par la coincer et commence à lui fouiller sous les jupes, en bavant. Mais il reçoit, au derrière, un coup de pied formidable et se retourne en hurlant.

— Laisse-la! ordonne Adrien.

— Je suis un ami, bave Panaït. Ce n'est pas une façon de traiter un ami!

Le cœur gros, il remonte sur le toit. Dans la cuisine, Adrien commence à cogner avec précision. Ce n'est pas à sa sœur qu'il en veut. Il aime sa sœur. Mais il vise le gosse. Le maudit rejeton de Fédor... Lorsque enfin il remonte sur le toit, Maria hurle moins, mais elle hurle tout de même.

— Je vais la calmer, moi, déclare posément le

vieux Christianu : l'âge lui a appris la sagesse et la modération. Il descend par la trappe, ramasse un balai et commence à cogner. Maria hurle. La vieille mère Christianu se tait : les choses se passent régulièrement. Un frère peut battre sa sœur, ou un père sa fille... C'est la famille! Mais elle regarde son mari avec crainte : le vieux tape dur, et elle n'a pas d'autre balai. Pan, pan, pan... Crrac! Le balai casse. Le vieux crache et remonte sur le toit. Panaït l'accueille, couvert de bave et très excité.

— Je voudrais bien lui donner un coup ou deux, moi aussi! supplie-t-il. Je suis son fiancé, après tout!

Le vieux lui donne une gifle. Panaït se met à geindre.

— P... préparez-vous! ordonne Kopfff.

Les ombres ont fui. La lune a pris la couleur du ciel. Un coq chante soudain, un chien hurle.

— A... a... attention!

Il écoute le chien hurler dans l'aube blême... Dans un éclair il revoit la figure du Führer, prononçant son dernier discours, au Palais des Sports à Berlin... « Aux pionniers du monde nouveau, honneur et salut! » Les secondes courent sur le cadran avec une rapidité folle... Son cœur bat à tout rompre... « Sur le chemin de la noblesse et de la grandeur, toujours plus loin, toujours plus haut! *Sieg Heil!* » Est-ce la voix du Führer qui l'exhorte ainsi ou est-ce toujours le chien qui hurle dans l'aube blême? Il n'y voit plus... « Le monocle. » Il fouille autour de lui, d'une main tremblante... Un dernier regard aux silhouettes noires, figées sur les toits voisins... « B... b... bonne chance, c... compagnons ! B... b... bonne chance ou b... b... belle m... m... mort ! »

— A... a... allons-y !

Il lève sa cartouche...

— Ce n'est pas une façon de traiter un ami ! bave Panaït.

Ils sont abrutis par le fracas formidable et jetés pêle-mêle les uns sur les autres par le souffle de l'explosion.

— Bon Dieu de Bon Dieu ! hurle Panaït. Bon Dieu de Bon Dieu !

D'un bout à l'autre du village, les explosions se succèdent : les amis de l'ordre — la partie saine de la population — sont entrés en action. Épuisé, Panaït se colle à la cheminée et demeure sans bouger, le dos rond, la langue pendante, en chialant.

— Viens ici, i... idiot ! ordonne Kopfff.

— Foutez-moi la paix, glapit Panaït.

Les yeux lui montent au front. Il bave énormément, comme s'il avait une cuite. Kopfff lui décoche un coup de pied au cul. Ce n'est pas le moment de laisser ce dégénéré se dégonfler comme un ballon crevé, plein de bave. On a besoin de lui.

— P... prends ton f... fusil !

— Foutez-moi la paix ! bave Panaït.

Il montre les dents. La peur le rend presque dangereux. Kopfff le saisit au collet et lui applique son revolver sur la nuque.

— Tu s... s... sens ?

Le contact froid de l'arme paralyse Panaït. Il demeure un instant flasque et inerte, entre les mains de Kopfff. Celui-ci se met à le pousser vers le bord du toit, en lui bottant le cul à chaque pas... Les deux Christianu leur tournent le dos. Le cou tendu, ils regardent la maison décapitée, en face. Une fumée noire monte du trou. Mais on ne sait jamais : les murs tiennent encore et peut-être Fédor n'est-il pas tout à fait mort. Panaït tremble de toute sa graisse et essaie de s'arracher à l'étreinte de Kopfff, malgré le revolver qui lui glace la nuque. Il ne bave même plus. Ses mâchoires sont contractées, comme paralysées.

— Prends ton f... f... fusil! bégaie Kopfff.

Panaït se défend. Il hurle, aussi, la bouche close, d'une voix de bête. Des coups de feu germent maintenant un peu partout dans le village : la partie saine de la population rencontre de l'opposition.

— Le voilà! crie soudain Adrien.

Mais déjà le vieux Christianu a tiré : l'âge et l'expérience lui ont appris à ne jamais perdre de temps en vaines paroles. Adrien tire aussi. Kopfff lève la tête, et Panaït en profite pour s'arracher à son étreinte et bondir dans le vide. Cela représente une chute de deux étages, mais il tombe à quatre pattes, comme un singe... De la fumée, en face, Fédor vient de sortir, une mitraillette sous le bras. L'ennemi de l'ordre marche lentement, lourdement. Sans doute est-il blessé... Maria, dans la maison, recommence à hurler. L'ennemi de l'ordre a dû entendre sa voix, car il essaie de courir, en titubant.

— T... t... tiens! crie en ce moment Kopfff, à l'adresse de Panaït.

Et il lui tire dessus. Panaït reçoit la balle dans les fesses. Il saute en l'air, pousse un hurlement lugubre et se met à courir. Il ne sait pas où il court. Il ne voit pas. Il ne pense pas. Une terreur de bête blessée lui fourrage les tripes et il fonce droit devant lui, à la rencontre de l'ennemi de l'ordre. Il arrive sur lui tête baissée, comme un bélier, et ils roulent à terre tous les deux.

— Tue-le, Panaït!

Mais Panaït ne pense qu'à fuir. Il cherche à se dégager, à s'éloigner... Adrien en a assez. Il saisit une grenade, la mord et la lance. Tant pis pour Panaït. Comme on dit dans le pays — et dans d'autres pays encore — on ne fait pas d'omelette sans casser d'œufs. La grenade fait de la bonne omelette ; l'ennemi de l'ordre et Panaït sont amicalement alignés sur la chaussée.

— Bien, mon fils! dit le vieux Christianu sans élever la voix : l'âge lui a appris la modération.

— En b... b... bas, v... v... vite! ordonne Kopfff.

Mais les deux Christianu l'ignorent complètement. Ils ignorent également Panaït, lequel s'aligne pourtant à côté de l'ennemi de l'ordre, sur la chaussée, bavant de sa dernière bave. A la fin, seulement, le vieux Christianu observe, avec bienveillance :

— Il ne bavera plus jamais, Panaït!

Et il louche vers Kopfff. Celui-ci, revolver au poing, essaie de soulever la trappe, pour descendre. Les deux Christianu le regardent faire, avec intérêt. Ils attendent patiemment qu'il la soulève à demi car alors les gonds rouillés se mettent à résister et il faut se servir de ses deux mains. Que Kopfff ait les deux mains occupées par la trappe, voilà ce qu'ils attendent. Ils ne se sont pas consultés au sujet de ce qu'ils vont faire. Ils ne se regardent même pas. Leur accord est tout instinctif : il n'est basé ni sur des palabres ni sur de longs raisonnements ou calculs, mais sur un certain nombre de sentiments élémentaires et sains, qu'en bons paysans roumains ils ne peuvent pas ne pas ressentir. Ils ont profité de Kopfff pour régler des comptes personnels. A présent, c'est fini. L'honneur est sauf. Justice est rendue. Ils n'ont aucune envie d'être mêlés à ce qui va suivre. Ils veulent se retirer, avec armes et bagages, pendant qu'il en est encore temps. Peut-être même vont-ils essayer de passer du bon côté, du côté juste, du côté du manche. Ils détestent ce Boche, cet envahisseur, qui se mêle de leur donner des ordres, qui se conduit dans leur village — le village de leurs ancêtres! — comme en pays conquis. Ce tyran, cet assassin de paisibles paysans... Mais il faut être prudent. Aussi attendent-ils patiemment que Kopfff ait les deux mains occupées par la trappe, dont les gonds sont rouillés.

— Aidez-m... m... moi! dit Kopfff.

Ils ne bougent pas. Mais ils l'encouragent du regard. Kopfff pose son revolver et saisit la trappe à deux mains. La trappe résiste. « O... o... ordure! » Il n'a pas peur. Mais il est pressé de combattre. Il tient à regarder l'ennemi en f... f... face, à marcher en chantant sous les b... b... balles, suivant la meilleure tra... tra... tradition. Il veut se griser du d... d... danger, de l'éclat de la b... b... bataille, il veut courir à l'a... a... assaut d'un pas l... l... léger, en criant *S... Sieg! H... Heil!* et en sentant à son c... c... coude le coude de ses c... c... compagnons. Il a un r... rendez-vous. Il est p... pressé d'y courir. Là-bas l'attend sa belle v... victoire ou sa belle m... mort!

Mais il rate ce rendez-vous. Il le rate de façon lamentable. La trappe s'ouvre enfin. Elle s'ouvre juste à temps pour recevoir le corps de Kopfff qui s'écroule avec deux balles bien plantées dans la nuque. Le cher homme ne sent rien de désagréable. Rien d'agréable non plus. De façon générale il ne sent rien du tout. Il ne se rend même pas compte que sa fin n'est pas tout à fait telle qu'il l'avait désirée. Elle manque essentiellement de grandeur. Car sa dernière pensée n'est pas du tout pour le F... F... Führer, pour la g... g... grande Allemagne, pour la v... victoire, pour la C... C... C... Cause ou pour quelque chose d'a... a... a... approchant. N... non. Elle est pour l'o... ordure. Il pense : « Cette ordure de t... trappe s'ouvre en... enfin. » Et puis il ne pense plus rien du tout. En somme il meurt en q... q... queue de p... p... poisson.

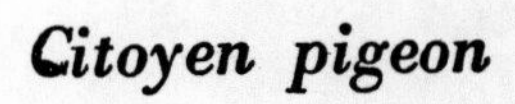
Citoyen pigeon

En 1932, je visitai Moscou avec mon associé Rakussen. Nous venions de subir à la Bourse de New York des pertes désastreuses — toute une vie de dur labeur réduite à néant en vingt-quatre heures — et les médecins nous avaient prescrit un changement complet d'atmosphère, quelques mois de vie simple et tranquille, loin de Wall Street et de sa fièvre. Nous décidâmes de nous rendre en U.R.S.S. Je tiens à préciser ici un point important : nous prenions cette décision avec cet enthousiasme sincère, cette chaude sympathie pour les réalisations de l'U.R.S.S. que seuls les agents de change ruinés intégralement au marché des valeurs de Wall Street peuvent comprendre réellement. Au propre et au figuré nous avions besoin de valeurs nouvelles...

Nous étions au mois de janvier. Moscou portait son vêtement de neige. Nous venions de visiter le musée de la Révolution et en sortant nous décidâmes de prendre un traîneau et de rentrer directement à l'Hôtel Métropole où nous avions nos quartiers. Notre voyage en U.R.S.S. s'effectuait sous les auspices de l'Intourist et depuis quinze jours le guide nous traînait impitoyablement de musée en musée et de théâtre en théâtre.

— Nous avons tout cela depuis longtemps aux États-Unis, dit Rakussen en descendant l'escalier.

Chaque fois que le guide nous faisait visiter un endroit, Rakussen se sentait obligé de dire : « Nous avons la même chose aux États-Unis », et il ajoutait généralement : « En mieux. » Il le dit au Kremlin, il le dit au musée de la Révolution, il le dit également au mausolée de Lénine et le guide avait fini par nous regarder de travers : en toute sincérité, je crois que ces remarques vraiment déplacées de Rakussen ne furent pas entièrement étrangères à ce qui devait nous arriver. Il commençait à neiger et nous battions la semelle en faisant de grands signaux à tous les traîneaux qui passaient. Finalement, un *izvoztchik* s'arrêta et nous nous installâmes confortablement. Rakussen cria : « Hôtel Métropole », le traîneau glissa et ce fut alors seulement que je remarquai que le cocher n'était pas sur son siège.

— Rakussen, criai-je, le cocher est resté derrière !

Mais Rakussen ne me répondit pas. Son visage exprimait un ahurissement sans bornes. Je suivis son regard et vis que la place du cocher était occupée par un pigeon. En soi, la chose n'avait rien d'extraordinaire, il y avait beaucoup de pigeons dans la rue qui picoraient le crottin ; ce qu'il y avait de réellement frappant, c'était l'attitude du pigeon. De toute évidence, il remplaçait le cocher. Il ne tenait pas les rênes, il est vrai, mais il y avait là, à côté de lui, une clochette fixée au siège, avec un bout de ficelle qui pendait. De temps en temps, le pigeon attrapait la ficelle avec son bec et tirait dessus : une fois, et le cheval tournait à gauche, deux fois, et il tournait à droite.

— Il a bien dressé son cheval, remarquai-je d'une voix un peu rauque.

Rakussen me foudroya du regard, mais ne dit rien. Il n'y avait d'ailleurs rien à dire ; j'avais vu bien des choses incroyables arriver au cours de mon existence, je venais de voir la Mars Oil universellement considérée comme une valeur de père de famille tomber à zéro en vingt-quatre heures, mais un pigeon autorisé à assurer un transport public dans les rues d'une grande capitale européenne, c'était une expérience sans précédent dans mon existence d'homme d'affaires américain.

— Eh bien, essayai-je de plaisanter, voilà enfin une chose que nous n'avons pas encore aux États-Unis !

Mais Rakussen n'était pas d'humeur à méditer sur les réalisations de la grande République Soviétique dans le domaine du transport. Ainsi qu'il en est souvent avec les esprits primaires, tout ce qu'il ne comprenait pas le mettait en colère.

— Je veux descendre ! hurla-t-il.

Je regardai le pigeon. Il était en train de sautiller sur son siège, en battant des ailes pour se réchauffer, à la manière de tous les *izvoztchik* russes. Il n'avait pas du tout l'air impressionnant, pour un pionnier du socialisme. En fait, j'ai rarement vu un pigeon moins soigné de sa personne, pour parler franchement, plus sale et moins digne de promener deux touristes américains dans les rues d'une capitale.

— Je veux descendre, répéta Rakussen.

Le pigeon le regarda de travers, trotta jusqu'à la clochette et tira trois fois sur la ficelle. Le cheval s'arrêta. Je commençai à avoir ce tremblement nerveux du genou gauche qui est, chez moi, le signe d'une grande agitation intérieure. Je soulevai la couverture et me préparai à descendre, mais Rakussen, apparemment, avait brusquement changé d'avis.

— Je veux tirer cette affaire au clair, déclara-t-il en demeurant assis et en croisant les bras sur sa poitrine. Je refuse de me laisser mystifier. S'ils croient qu'ils peuvent insulter ainsi un citoyen américain, ils se trompent!

Je ne voyais pas du tout pourquoi il se sentait insulté et je le lui dis. Nous étions en train d'échanger des propos amers lorsque je remarquai qu'un attroupement s'était formé sur le trottoir et que les passants s'arrêtaient et nous observaient avec étonnement.

— Ils ne regardent même pas le pigeon, dit Rakussen avec abattement. C'est nous qu'ils regardent.

— Rakussen, vieil ami, dis-je, en lui mettant la main sur l'épaule, cessons de nous conduire en provinciaux ahuris! Après tout, nous sommes des étrangers dans ce pays. Ces gens doivent savoir mieux que nous ce qui est normal chez eux et ce qui ne l'est pas. Ce pays, ne l'oublions pas, a subi une grande révolution. On nous a toujours très mal renseignés sur l'U.R.S.S. Ils sont vraiment en train de bâtir un monde nouveau. Il est parfaitement possible qu'avec des méthodes nouvelles, ils aient accompli dans le domaine de l'éducation des pigeons des choses dont nous n'avons même pas rêvé dans nos vieux pays endormis dans une routine séculaire. Mettons que ce pigeon soit un pionnier et n'en parlons plus. Voyons grand, Rakussen, élevons-nous à la hauteur des circonstances ; de la tolérance, Rakussen, de la générosité. Pourquoi ne pas admettre que du point de vue de l'utilisation rationnelle de la main-d'œuvre, il nous reste encore, aux États-Unis, tout à apprendre ?

— Utilisation rationnelle de la main-d'œuvre, mon œil, dit grossièrement Rakussen.

Mais je ne me laissai pas démonter.

— *Izvoztchik*, criai-je, avec mon meilleur accent russe, *Izvoztchik*, en avant! Fais sonner le *kolokoltchik! Ai da troïka! Volga, Volga!*

— Taisez-vous! siffla Rakussen, ou je vous tords le cou!

Il se mit soudain à pleurer.

— Je suis humilié! sanglotait-il sur ma poitrine. Oh! comme je suis humilié! Où est maman ? Je veux maman!

— Je suis là, Rakussen, vieil ami, criai-je. Vous pouvez compter entièrement sur moi!

Pendant tout ce temps-là les badauds sur le trottoir nous regardaient avec une attention soutenue. Le pigeon fut le premier à se lasser du spectacle. Il tira brusquement sur la clochette, le cheval démarra, et le traîneau glissa rapidement sur la neige. De temps en temps, le pigeon se retournait et nous lançait un sale regard. Rakussen continuait à sangloter, et je commençais à éprouver cette étrange oppression autour du crâne qui, chez moi, ne présage rien de bon. Le traîneau s'arrêta devant un bâtiment orné d'un drapeau soviétique. Le pigeon sauta de son siège, trotta à l'intérieur et revint aussitôt, suivi d'un agent de police.

— Camarade, m'exclamai-je, nous nous mettons entièrement sous votre protection. Nous sommes deux paisibles touristes américains et nous venons d'être traités d'une façon particulièrement indigne. Cet *izvoztchik*...

— Pourquoi ce sale pigeon nous a-t-il amenés au poste ? m'interrompit Rakussen.

Le policier haussa les épaules.

— Vous étiez dans son traîneau depuis une heure et vous n'aviez pas l'air de savoir où vous vouliez aller, nous expliqua-t-il en excellent anglais. De plus, vos façons lui paraissaient étranges et il prétend même que vous le regardiez d'un air menaçant. Vous lui avez fait peur, camarades. Cet *izvoztchik* n'est pas habitué aux touristes et à leurs façons bizarres. Il faut l'excuser.

— Il vous a expliqué tout cela ? demanda Rakussen, sombrement.

— Oui.

— Il parle donc russe ?

Le policier parut sincèrement choqué.

— Camarades touristes, dit-il, je puis vous assurer que 95 % de notre population parlent et écrivent leur langue maternelle fort correctement.

— Y compris les pigeons ?

— Camarades touristes, dit le policier avec une certaine emphase, je n'ai jamais été aux États-Unis, mais je puis vous assurer que, chez nous, les bienfaits de l'éducation sont mis à la portée de tous, sans distinction de race.

— Aux États-Unis, hurla Rakussen, nous avons des pigeons qui sortent de Harvard et j'en connais personnellement douze qui siègent au Sénat !

Il se rua dehors. Je le suivis. Le pigeon était toujours là avec son traîneau, attendant sans doute d'être payé. Je le regardai et ce fut alors que j'eus cette idée fatale. Il y avait là, juste à côté du poste, une succursale de l' « Universmag ». Je me précipitai à l'intérieur et ressortis triomphalement avec deux belles bouteilles de vodka.

— Rakussen, vieil ami, criai-je, en montrant le pigeon d'un doigt accusateur, j'ai trouvé la clef du mystère. Cet oiseau n'existe pas ! C'est une hallucination, c'est le fruit maudit d'une sobriété excessive, à laquelle nos médecins nous avaient condamnés ; nos organismes intoxiqués sont incapables de supporter ce régime ! Buvons ! Et ce pigeon va se dissoudre dans l'espace comme un mauvais rêve.

— Buvons! hurla Rakussen avec enthousiasme.

Le pigeon nous tournait ostensiblement le dos.

— Aha! criai-je. Il mollit. Il sait que ses instants sont comptés.

Nous bûmes. Au quart de bouteille le pigeon était toujours là.

— Persévérons, criai-je. Courage, Rakussen, on l'aura jusqu'à la dernière plume!

Au tiers de la bouteille, le pigeon se retourna et nous regarda fixement. Je compris ce regard.

— Non-non! bégayai-je. Pas de pitié!

A la demi-bouteille, le pigeon soupira et aux trois quarts, il dit en américain, avec un fort accent du Bronx :

— Camarades touristes, vous voilà dans un pays étranger, deux représentants de votre grand et beau pays, et au lieu de nous donner, par une attitude correcte et distinguée, une haute idée de votre patrie, vous vous saoulez la gueule en pleine rue comme des animaux. Citoyens, je suis parfaitement écœuré!

... J'écris ces lignes dans mon club. Près de vingt ans sont passés depuis la terrible aventure qui fut pour nous le commencement d'une nouvelle vie. Rakussen est perché sur le lustre à côté de moi et selon son habitude m'empêche de travailler. Nurse, nurse, voulez-vous dire à ce maudit oiseau de laisser mes ailes tranquilles? J'essaie d'écrire.

Une page d'histoire

La bougie recroquevillée pousse un râle. La flamme se noie brusquement dans une petite mare de graisse. Puis le jour entre lentement. Il se glisse entre les barreaux, coule le long du mur, échoue dans un coin. Il se tapit là et regarde. Zvonar lui sourit et le jour lui répond : une sorte de lueur rose, timide, à peine perceptible.

Le Macédonien ronfle contre son épaule : ils dorment serrés l'un contre l'autre, pour avoir plus chaud. Il fait assez clair maintenant pour voir les graffiti sur les murs et Zvonar les relit chaque matin : rien de tel que l'indignation pour faire circuler votre sang plus vite. *Je te salue, Homme, éternel pionnier de Toi-même! Zdravko Andric, étudiant en lettres à l'Université de Belgrade. L'Homme n'est encore qu'un pressentiment de lui-même : un jour, il se fera. Pavel Povlovic, étudiant en droit, de Sarajevo.* Et encore, une fière citation du poète français Henri Michaux, sur le même thème : *Celui qu'un caillou fait trébucher marchait déjà depuis deux cent mille ans lorsqu'il entendit des cris de haine et de mépris qui prétendaient lui faire peur.* Une autre main avait d'ailleurs gratté plus bas : *Les patriotes yougoslaves auteurs de ces nobles pensées ont été fusillés par les Allemands ce matin.*

Mais les Allemands n'ont fait qu'assurer la relève, pense Zvonar. Ils ont porté le flambeau un peu plus loin, et voilà tout. Ils n'ont fait que continuer l'œuvre de nos illustres pionniers. Il a lui-même ajouté une ligne aux graffiti, en guise de conclusion : *L'affaire homme : une assez sale histoire, dans laquelle tout le monde est compromis.* Ç'a été plus fort que lui : il y a comme ça des murs contre lesquels on a immédiatement envie d'uriner. Avant de rejoindre Tito dans le maquis, il avait été journaliste à Belgrade ; il avait une femme et trois enfants — et il en avait assez d'attendre depuis six semaines son dernier matin sans même un roman policier pour vous réconforter.

Le Macédonien pousse soudain contre son épaule un hurlement de bête blessée. Il doit encore faire un beau rêve, pense Zvonar. Il le saisit par le bras et le secoue violemment. Le dormeur se réveille en sursaut.

— Elle est encore venue me montrer la langue, bredouille-t-il. Comme ça...

Il tire une langue interminable, enflée. Avec sa peau de mouton, ses cheveux et sa barbe hirsutes, son cou de taureau et des mains de géant, il ressemble à quelque monstre mythologique échoué dans la réalité. Le Macédonien n'est pas un « politique » : il a bien tué quelqu'un — une vieille femme — mais pas pour une idée : pour la dévaliser seulement. En somme, c'est un pur.

— C'est curieux qu'elle te montre toujours la langue...

— C'est pas curieux : je l'ai étranglée.

— Ah! bon, dit Zvonar.

Il bâille.

— Alors, le jour où elle te montrera son cul, ça voudra dire qu'elle t'a pardonné...

Il regarde vers la porte : il a l'impression qu'on a marché, dans le couloir. Ça doit être nerveux, pense-t-il.

— On fait une partie ?

Le Macédonien sourit : il se sait invincible. Depuis qu'ils sont là, Zvonar n'a pas réussi une seule fois à le battre. Il doit faire plus chaud chez lui, pense Zvonar. C'est un jeu vieux comme le monde : il s'agit de compter ses poux et d'en trouver plus que votre partenaire. Ils commencent à se fouiller.

— Cinq, annonce presque aussitôt le Macédonien, en abattant son jeu.

Il se gratte d'une main experte et ajoute immédiatement :

— Trois et deux, ça fait dix. Je passe.

Il attend avec confiance. Zvonar se fouille avec application : rien. Il ôte sa chemise et l'examine attentivement : toujours rien.

— Ils ont foutu le camp, constate-t-il.

Le Macédonien a l'air effrayé.

— Cherche bien...

Zvonar cherche un bon moment : pas un pou.

Pourtant, il a passé la nuit à se gratter. Les deux hommes se regardent : le Macédonien baisse les yeux.

— Oui, eh bien, on a compris, dit Zvonar. C'est pour ce matin.

— Faut pas être superstitieux, proteste faiblement le Macédonien.

Zvonar prend dans sa poche une lettre qu'il tient prête depuis six semaines et la lui donne.

— C'est pour ma femme. N'oublie pas.

— Ils vont peut-être revenir ?

— Tout de même, dit Zvonar, comment peuvent-ils savoir à l'avance ? Ils doivent avoir des pressentiments. Un sixième sens ? Il faudrait un jour tirer cela au clair...

— Ils ont l'habitude, explique le Macédonien. Il y a un bout de temps qu'ils sont là, ils en ont vu... Les poux se taillent toujours au bon moment, c'est connu.

— La sagesse populaire, quoi, dit Zvonar.

Le Macédonien essaie de se rattraper.

— Mais des fois, ils se trompent, dit-il. Tout le monde peut se tromper.

On marche dans le couloir. La clef grince dans la serrure. Deux gardiens entrent, suivis d'un sous-officier S.S. et d'un prêtre. Le prêtre porte une grosse croix d'argent sur la poitrine ; le sous-officier tient une liste à la main.

— Zvonar, journaliste ?

— C'est moi.

Le Macédonien roule des yeux effrayés. Il se signe.

— Jésus-Marie! bégaie-t-il.

Zvonar lui-même est impressionné. Il est bon, tout de même, de pouvoir quitter la terre sur un sentiment de mystère. Si les poux peuvent lire l'avenir, s'il existe une puissance mystérieuse pour les avertir et les sauver à temps, tous les espoirs sont vraiment permis. Il a l'impression d'avoir assisté à un acte miraculeux, qui prouverait presque, ou, en tout cas, rendrait plus plausible l'existence de Dieu... Il a été un athée toute sa vie, mais il y a tout de même des signes qui ne trompent pas et des évidences auxquelles il faut bien se rendre. Rien de tel qu'une révélation surnaturelle avant de mourir. Il regarde le prêtre et se met à rire.

— Je suis prêt, dit-il.

Le Protecteur de la Serbie est assis derrière la table de travail dans l'immense bureau du château royal de Belgrade, et en face de lui, au garde-à-vous, le petit doigt sur la couture du pantalon, se tient son fidèle ordonnance tchèque, le bon soldat Schweik. La table est jonchée de bouteilles de bière, « Pilsen pour les connaisseurs », à cinquante pfennigs la bouteille. Sur le tapis, des bouteilles également, mais vides. Il est cinq heures du matin. Le Protecteur de la Serbie regarde avec dégoût le jour blême, le jour vaincu, le jour affamé, le jour yougoslave qui se traîne à ses pieds, malgré l'heure matinale. On dirait qu'il vient déjà présenter des requêtes, des recours en grâce, geindre, insister... Le Protecteur de la Serbie lui décoche un coup de botte, mais le jour reste là ; il se fait même plus visible, plus clair, plus insolent. C'est tout juste s'il ne s'installe pas sur son bureau, s'il ne fouille pas parmi ses papiers. Le Protecteur de la Serbie est furieux. Le jour lui rappelle qu'il a passé la nuit à boire et que son Rapport, son fameux, son capital Rapport n'est toujours pas commencé...

— Relis, Schweik ! ordonne-t-il.

— *Jawohl !* dit le dévoué, le bon soldat Schweik. « J'ai l'honneur d'appeler l'attention des hautes autorités compétentes... j'ai l'honneur de rendre compte. »

Il s'arrête.

— C'est tout ?

— *Jawohl !*

— Alors, bois !

Ils boivent. Le Protecteur de la Serbie est ivre, extrêmement ivre. Et l'affaire est d'une délicatesse, d'une difficulté inouïe. Elle obsède et torture sa cervelle, mais refuse obstinément de se laisser exprimer en mots.

— Schweik !

— *Jawohl !*

— Ce matin, on va encore exécuter un otage... Et qui choisit-on ? Un journaliste célèbre, un pamphlétaire redoutable, habitué de plus au travail subversif... Dès que son âme révolutionnaire sera rendue là-haut, qu'est-ce qu'elle va faire ?

— *Jawohl ?*

— Parfaitement : elle va faire de la propagande contre nous! Elle va éditer un journal! Elle va publier contre nous des articles incendiaires, de véritables appels à la révolte, elle va ameuter toutes les âmes contre nous, Schweik!

— Contre nous, *jawohl!* répète avec satisfaction le bon soldat Schweik.

— Elle va nous calomnier, elle va nous dénoncer, elle va mobiliser contre nous des forces inouïes! Nous sommes des insensés, Schweik, des insensés! Nous expédions là-haut des millions d'âmes ennemies, nous leur donnons des moyens de transport! Nous organisons une cinquième colonne d'âmes fortes, résistantes, têtues, bénéficiant souvent d'un sérieux appui religieux, et dirigée entièrement contre nous! Une levée en masse! Un front uni d'âmes bien armées, bien entraînées, bien équipées!

— *Jawohl!*

— Écris : « J'ai l'honneur de vous rendre compte que l'exécution ne fait que libérer dans chaque prisonnier politique l'élément révolutionnaire par excellence et ennemi juré du national-socialisme, à savoir, l'âme... Or, que font-elles, ces âmes, une fois arrivées là-haut ? Elles s'organisent. Elles complotent. Elles font paraître des journaux, elles distribuent des tracts, elles tiennent des meetings, elles constituent des milices, elles forment contre nous un bloc résolu, rompu à la lutte politique, soutenu par les juifs et les chrétiens, et ce bloc, nous l'avons formé de nos mains et l'augmentons tous les jours... » Point.

— *Jawohl!*

— Alors, bois!

Ils boivent.

— « J'ai l'honneur de demander à la très haute autorité compétente : notre police là-haut est-elle bien organisée? Quelles sont ses directives et ses effectifs? Les autorités locales sont-elles favorablement disposées à notre égard? Existe-t-il, là-haut, des prisons et des camps de concentration pour âmes avec des cadres suffisants pour maintenir l'ordre? Je me permets de répondre : beuh! »

— *Bitte?*

— Rien n'a été fait! Rien n'a été prévu! Rien n'a été organisé. R-r-rien. Et pourtant nous avons besoin d'appuis, là-haut. Nous avons besoin d'amis. Sûrs... Compréhensifs... Car nous n'y entrerons point, le jour venu, à la tête de nos armées victorieuses, protégés par des tanks, portés par des avions! Nous... Nous y entrerons... seuls!

Sa voix se brise.

— Seuls, bégaie-t-il. J'y entrerai... seul!

— Seul! répète fidèlement le bon soldat Schweik. *Jawohl!*

Le Protecteur de la Serbie vide une bouteille de bière.

— Nous avons beau être victorieux, redoutés, puissants... posséder l'Europe d'un bout à l'autre... Nous y entrerons seuls... tous... même les plus grands d'entre nous... Le Führer... chut! chut!

— Chut! *Jawohl!*

— Chut! Le Führer y entrera seul!

— Chut!

— Chut ! Ce jour-là — quand il se présentera — nous n'aurons pas assez de tous nos amis là-haut ! Nous aurons besoin d'appuis... nous aurons besoin de protection !

Il se penche en avant :

— Or, murmure-t-il, qui envoyons-nous pour nous préparer le terrain. Qui ? Nos ennemis les plus acharnés : les âmes ! Les âmes des exécutés, des morts de faim, des morts de désespoir... Elles sont là-bas. Elles nous attendent. Elles complotent. Elles s'organisent. Elles s'arment. Elle sont prêtes... Elles occupent tous les points stratégiques... Elles se mettent en position...

Il hurle soudain :

— Nous sommes foutus ! Prends-moi note de ça, Schweik !

— *Jawohl !* dit avec satisfaction le bon soldat Schweik. Nous sommes foutus !

Mihalic ouvre les yeux. Son regard glisse sur le mur opposé, tombe par terre et se fixe sur un rat qui traverse justement la cellule. Il la traverse dignement, sans se presser. Il s'arrête même, chemin faisant, et jette à Mihalic un sale regard, nettement insultant. Mihalic se penche, saisit son soulier...

— Laissez ce rat tranquille ! dit une voix. Nous sommes chez lui, ici !

Mihalic se dresse, surpris. Sur le grabat opposé, jusqu'à ce jour inoccupé, un monsieur est assis.

C'est un monsieur bien, assez âgé, très proprement mis ; il porte un lorgnon, un col cassé et un nœud papillon. Il n'a pas quitté son pardessus et tient son chapeau à la main. Mihalic se gratte le dos et regarde l'intrus avec mélancolie.

— Vous remarquerez que j'ai fait le moins de bruit possible, cette nuit. Pour tout dire, cher Monsieur, j'ai pénétré dans votre refuge sur la pointe des pieds !

Il parle d'une voix assurée, avec détachement, en homme habitué à être écouté. Mihalic est perplexe.

— Qui êtes-vous ? demande-t-il, avec une sévérité qui cherche à compenser son manque d'assurance.

— Je suis, dit le monsieur, je suis la jonction ferroviaire de Molinec-Clichy ! Pour vous servir.

Il soulève son chapeau. Un toqué, pense Mihalic, avec une certaine appréhension. De nouveau, il empoigne son soulier, à tout hasard...

— Je suis, évidemment, quelqu'un de très important, dit le monsieur, sans fausse modestie. Quand je pense à tout le ravitaillement du front d'Italie qui passe par moi... Savez-vous qu'au cours de la dernière semaine seulement, j'ai été traversé par cinq convois militaires allemands par jour, chargés de troupes et de canons ? La conscience du rôle important que je jouais dans la bataille de l'Europe m'empêchait de dormir la nuit ! J'ai une très jolie gare régulatrice, continue le monsieur, rêveusement, comme s'il parlait de ses charmes intimes. Je suis parcouru par une rivière. A un de mes bouts, il y a un tunnel. A l'autre, un pont suspendu...

Mihalic le regarde avec un intérêt professionnel.

— Cinq convois par jour, grogne-t-il. On n'a jamais essayé de vous faire sauter ?

— Quatre fois, dit la jonction ferroviaire de Molinec-Clichy, avec fierté, en ajustant le lorgnon sur son nez. Mais le travail était fait par des amateurs. Je n'ai subi que des dégâts insignifiants. Un léger retard, et les convois allemands se remettaient en route pour le front. Alors, j'ai décidé de prendre l'affaire en main moi-même. J'ai établi un plan. Je me suis procuré les matériaux. J'ai surveillé les premiers travaux... Les honorables autorités du Protectorat ont eu vent de quelque chose. En votre qualité de maire de Molinec-Clichy, nous vous prenons comme otage. Vous répondez sur votre tête de ce nœud ferroviaire important...

— Alors ?

— Alors, mon fils est toujours libre, fort heureusement. C'est un ingénieur expérimenté, son éducation m'a coûté beaucoup d'argent...

Il regarde sa montre.

— Le travail a dû être fait à trois heures, ce matin... C'est-à-dire, il y a deux heures exactement. Le front d'Italie attendra en vain ses renforts... Quant à moi, je ne pense pas avoir à attendre longtemps !

Un bruit de bottes, dans le couloir... la clef tourne dans la serrure. Le monsieur se lève, ajuste son pince-nez et met son chapeau.

— La jonction ferroviaire de Molinec-Clichy vous fait ses adieux, camarade!

— Schweik!

— *Jawohl!*

— Je les vois, toutes ces âmes! Elles sont partout! Elles grouillent! Elles rampent! Elles hurlent! En serbe... En polonais... En français... En russe... En yiddish! A bas le fascisme! A bas les bourreaux! A bas les sans-cœur, les sans-pitié, les sans-Dieu! A bas...

Il appuie un doigt contre sa poitrine.

— A bas le Protecteur de la Serbie! Qu'on nous le donne! Qu'on nous jette son âme! On l'enfermera dans une cellule puante! On l'affamera. On le torturera. On lui fera perdre la raison... Schweik?

— *Jawohl?*

— Je ne suis pas encore mort, hein? Je suis toujours là? Ce n'est pas encore commencé? Ou bien, est-ce que... Schweik!

— *Jawohl!* fait le fidèle Schweik. Vous n'êtes pas encore mort, mais c'est déjà commencé.

— Je les entends, toutes ces âmes... Liberté, Égalité! Fraternité! Justice! Humanité! Elles se ruent partout, arrêtent la circulation, débordent le service d'ordre... Elles grimpent sur les becs de gaz, sur les monuments publics... Le-droit-à-la-vie! Le-droit-à-la-paix! Le-droit-de-penser, de-parler, de-crier! Le droit d'être bossu, bègue, nègre, juif, homme! Le droit d'être châtain! Le droit d'être rouge, vert, jaune, noir! Nous voulons, pour nos enfants, des morts naturelles! Elles se répandent partout, arrachent les pavés, mettent le feu à la Maison de la Culture fasciste, forcent les cordons de police, renversent les tramways! Une âme décorée de la Croix de fer est piétinée et jetée dans l'égout. Tous les nuages sont couverts d'affiches : « Ames libres, en avant! » et « Pour un front commun des âmes, unissez-vous! » Schweik!

— *Bitte?*

— Ça va mal! Elles ont occupé la centrale électrique et la station de T. S. F. Personne ne leur résiste. Le pape a fait diffuser un message de sympathie! Où sont donc les âmes national-socialistes, Schweik?

— J'ai l'honneur de vous rendre compte : il n'y en a pas! *Jawohl!*

— C'est un déluge! Elles emportent tout sur leur passage! Il y a des ralliements sensationnels! Saint Pierre a grimpé sur un nuage : il prononce un discours! Il leur jette les clefs du paradis! « Entrée libre pour tous sans distinction de race! » vocifère-t-il. Il est porté en triomphe. La foule hurle sur l'air des lampions : « Dieu-a-vec-nous! Dieu-a-vec-nous! » Schweik, tu crois vraiment que Dieu... hein?

— *Jawohl!*

— Chut...! J'entends un agréable bruit de bottes... Les âmes des ennemis de l'ordre semblent hésiter... Elles s'arrêtent... Quel est ce chant? C'est le *Horst Wessel Lied!* Ce sont nos troupes, Schweik, qui avancent ! Ce sont les âmes de nos soldats morts! La légion des âmes anti-bolcheviques ! Elles avancent au pas de l'oie, au coude à coude. Quelle allure ! Sacré nom de Dieu, quelle allure ! Ça brille ! Ça étincelle ! Les poignards, les bottes, les ceinturons... Mais... Mais où sont donc les chefs, Schweik ?

— En bas, dit froidement le bon soldat Schweik.

Il regarde son maître avec un certain espoir. Le Protecteur de la Serbie fait un effort pour se lever.

— Il n'y a pas un instant à perdre ! bredouille-t-il.

Il tombe sa veste et commence à enlever ses bretelles.

— Il faut les mener au combat, hoquette-t-il. Il faut donner un chef à nos héroïques pionniers... Schweik, aide-moi !

— Avec plaisir, dit Schweik. *Jawohl!*

Il grimpe sur la table. Il fait un nœud coulant et attache solidement les bretelles au lustre. Ensuite, il aide son maître à monter sur la table et le soutient avec dévouement.

— Pas d'hésitation, en avant ! bégaie le Protecteur de la Serbie, pendant que le fidèle Schweik lui passe le nœud autour du cou. De l'audace... De l'initiative... *Sieg Heil!* Je prends le commandement !

Le fidèle Schweik le pousse obligeamment. Il saute et se balance. Le choc semble le dessaouler quelque peu. Il se débat. Le bon soldat Schweik le regarde faire avec intérêt. Mais le corps continue à se balancer et ce mouvement régulier lui donne le vertige. Il le saisit par les jambes, et le maintient solidement jusqu'à ce qu'il ait fini de gigoter. Puis il lui tourne le dos.

Le mur

simple conte de Noël

Mon ami, le docteur Ray, était installé devant moi, dans un de ces bons vieux fauteuils du club, au Boodle's, où tant d'Anglais illustres ont vécu dignement. Nous nous tenions assis au coin du feu, un peu à l'écart, juste ce qu'il fallait pour que la chaleur fût confortable.

— Et alors, rien ? me demanda-t-il avec sollicitude.

— Rien, avouai-je. Depuis quinze jours, je me trouve devant un mur.

J'étais venu trouver ce vieil ami pour le prier de me prescrire une de ces nouvelles « drogues-miracles » qui stimulent l'énergie, l'optimisme et le pouvoir de concentration. Décembre approchait et j'avais promis au directeur d'un grand journal pour la jeunesse un conte de Noël — une de ces jolies histoires édifiantes que mon public d'adolescents était en droit d'attendre de moi.

— D'habitude, je trouve toujours une jolie histoire, gentille et tendre, lorsque Noël approche, lui expliquai-je avec abattement. Cela me vient tout naturellement lorsque les soirées sont longues et que les vitrines des magasins s'emplissent de jouets. Mais cette fois l'inspiration semble m'avoir abandonné ; je me trouve devant un mur...

Les yeux du bon praticien eurent une expression rêveuse :

— Eh bien, il me semble que vous avez trouvé là un excellent sujet...

— Comment cela ?

— Le mur... Je ne vais pas vous faire d'ordonnance, d'autant plus que je n'exerce pas ma profession au Boodle's, et, si vous voulez vos maudites pilules, venez me voir dans mon cabinet ; cela vous coûtera cinq guinées. Mais je peux vous raconter une histoire vraie dont le sujet est justement un mur, *le* mur, devrais-je dire, au propre et au figuré. Elle est arrivée par une de ces nuits glacées de la Saint-Sylvestre où le cœur des hommes est étreint par un besoin presque intolérable d'amitié, de chaleur et de merveilleux. Voici, en deux mots, de quoi il s'agit. A mes débuts, j'étais attaché au Scotland Yard en qualité de médecin légiste, et on venait souvent me tirer du lit, au milieu de la nuit, pour m'inviter à me pencher sur quelque pauvre bougre dont rien jamais n'allait plus interrompre le sommeil. C'est ainsi que, par une petite aube jaune sale de décembre — ce que Londres peut faire de mieux dans le genre — je fus appelé à faire un constat de décès dans une de ces affreuses maisons meublées d'Earls Court dont je n'ai guère besoin de vous décrire la tristesse et la laideur. Je me trouvai en présence du corps d'un jeune étudiant — une vingtaine d'années — qui s'était pendu, la nuit même, dans une de ces chambres misérables que l'on chauffe en mettant des pièces d'un shilling dans l'appareil à gaz. Je m'étais assis devant la table, dans l'atmosphère glacée, pour faire le certificat, lorsque mon regard fut attiré par quelques feuilles de papier couvertes d'une écriture nerveuse. J'y jetai un coup d'œil, puis me mis à les lire avec une soudaine attention. Le malheureux jeune homme nous laissait là une explication de son geste. Apparemment, il avait succombé à une crise de solitude. Il n'avait pas de famille, pas d'amis, pas d'argent, Noël était là, tout son être aspirait à la tendresse, à l'amour, au bonheur et... C'est là que l'histoire *se corse* — c'est ainsi, je crois, que l'on dit en français. Dans la chambre voisine habitait une jeune fille qu'il ne connaissait pas, mais qu'il avait croisée parfois dans l'escalier et dont la « beauté angélique » — vous reconnaîtrez à ce style une extrême jeunesse — l'avait profondément frappé. Or, alors qu'il était en train de lutter contre la tristesse et le découragement, il entendit à travers le mur, dans la chambre de sa voisine, certains bruits, certains craquements, certains soupirs, qu'il qualifiait dans sa lettre de « caractéristiques » et dont la nature exacte n'était que trop facile à deviner. Il est probable que ces bruits continuèrent sans répit pendant qu'il écrivait, parce que le brave garçon en faisait une description détaillée, comme pour s'en débarrasser par la colère et le mépris — son écriture trahissait un état d'esprit fort agité. Pour un jeune Anglais, je dois dire que sa lettre était assez osée et, avec une ironie furieuse et désespérée, il ne nous épargnait aucun détail. Il avait entendu, écrivait-il, pendant une heure au moins de véritables râles de volupté, et le lit avec des soubresauts et des craquements que je n'ai pas besoin de vous décrire ; nous avons tous eu à subir ce genre d'odieux ébats, l'oreille collée au mur. Les gémissements de plaisir de sa « voisine angélique » paraissaient l'avoir blessé au cœur, surtout dans l'état de solitude, d'abattement et de dégoût général dans lequel il se trouvait : il avouait aussi qu'il était secrètement amoureux de l'inconnue. « Elle était si jolie que je n'ai même pas osé lui parler », écrivait-il. Il lançait quelques anathèmes amers et traditionnels à son âge, chez un jeune Anglais bien élevé, contre ce « monde ignoble qui me soulève le cœur et que je refuse désormais de fréquenter ». Bref, on voyait très bien ce qui s'était passé dans l'esprit de ce jeune homme manifestement hypersensible et très pur, éperdument seul, déchiré par le besoin d'affection et sans doute aussi épris de l' « ange » mystérieux auquel sa timidité l'avait empêché d'adresser la parole, et dont il entendait maintenant la voix bien terrestre à travers le mur, sous la forme que vous savez. Il avait donc arraché la corde des rideaux et il avait commis le geste irréparable. Je terminai la lecture des feuilles, signai mon certificat, et, avant de sortir, je demeurai un instant à écouter. Mais le mur était silencieux. Sans doute les ébats amoureux étaient-ils terminés depuis longtemps et un bon sommeil leur avait succédé. La nature humaine a de ces limites. Je mis mon stylo dans ma poche, pris ma petite valise de praticien — je l'appelle du nom français de *meurenville* — et m'apprêtai à descendre en compagnie de l'agent de police et de la logeuse, mal réveillée et de fort mauvaise humeur, lorsqu'il me vint soudain — comment vous dire ? — une curiosité. Naturellement, je ne manquai pas de me trouver des excuses valables et *comme il faut.* Après tout, cette jeune personne et son compagnon de plaisir n'étaient séparés que par un mur assez mince — nous le savons assez — de la chambre où avait eu lieu le drame. Peut-être avaient-ils quelque chose à nous dire, à ajouter — quelque élément nouveau. Mais je ne vous cacherai pas que le mobile principal de mon geste fut une certaine curiosité — malsaine ou cynique, si vous préférez — j'avais envie de jeter un coup d'œil sur cette « créature angélique » dont les petits cris et les soupirs avaient eu une conséquence aussi tragique. Bref, je frappai à la porte. Il n'y eut pas de réponse. Je me dis que le complice était sans doute encore dans ses bras, et j'eus la vision de ces deux êtres affolés sous la couverture. Je haussai les épaules et allais descendre lorsque la logeuse, après avoir frappé deux ou trois fois et crié : « Miss Jones! Miss Jones! » prit son trousseau de clefs et ouvrit la porte. J'entendis une exclamation et la logeuse se rua hors de la chambre, le visage décomposé. J'entrai et tirai les rideaux. Un coup d'œil sur le lit suffit à m'apprendre que le jeune étudiant s'était entièrement trompé sur la nature des plaintes, des soubresauts et des soupirs dont l'écho lui arrivait à travers le mur, et qui l'avaient poussé à son geste désespéré. Je vis sur l'oreiller une tête blonde et un visage que toute la souffrance et toutes les marques d'un empoisonnement par l'arsenic ne parvenaient pas à priver de sa gentille beauté. La petite était morte depuis plusieurs heures, et son agonie avait dû être longue et agitée. Sur la table, il y avait une lettre qui ne laissait aucun doute sur les motifs de son suicide. Apparemment, c'était un cas aigu de solitude... et de dégoût général de la vie.

Le docteur Ray se tut et me regarda avec amitié. Je m'étais dressé d'indignation dans mon fauteuil et demeurais pétrifié, une protestation informulée sur les lèvres.

— Oui, le mur, murmura le praticien, rêveusement. C'est un sujet digne d'intérêt et un titre tout trouvé pour votre conte de Noël, puisque voici venir, dans le cœur des hommes, la saison du mystérieux.

Tout va bien
sur le Kilimandjaro

Le petit village de Touchagues se trouve à dix kilomètres de Marseille sur la route d'Aix. Au milieu de la place principale il y a une statue de bronze. Elle représente un homme, la tête fièrement rejetée en arrière, une main sur la hanche, l'autre sur un bâton, un pied posé en avant, à la manière des conquérants. On devine au premier regard que cet homme vient de franchir un désert réputé infranchissable et s'apprête à se mesurer avec un pic jamais surmonté. Sur la plaque on lit : « A Albert Mézigue, illustre pionnier de la géographie, conquérant des terres vierges (1860-18..), ses concitoyens de Touchagues ».

Le village n'a pas de musée, mais une salle spéciale de la mairie est réservée aux reliques de l'explorateur. On y trouve notamment plus de mille cartes postales envoyées de tous les coins du monde par Albert Mézigue à ses concitoyens. Ce sont des cartes fort ordinaires d'aspect, imprimées au tournant du siècle à Marseille par la maison Sulim Frères et consacrées aux « merveilles du monde », que l'ancien apprenti barbier de Touchagues paraissait affectionner particulièrement et qu'il emportait toujours avec lui dans ses voyages. Mais si les cartes sont banales et les timbres arrachés par les collectionneurs, les messages pleins de noms étrangers griffonnés à la hâte dans les circonstances les plus extraordinaires conservent leur intérêt poignant : « A César Birouette, vins, fromages, place du Petit-Postillon, salut. Tout va bien sur le Kilimandjaro. C'est plein de neiges éternelles par ici. Avec l'expression de mes sentiments distingués. Albert Mézigue. » Ou bien encore : « A Joseph Tantignol, propriétaire, immeuble Tantignol, passage Tantignol. 80° latitude Nord. Nous sommes pris dans une bourrasque effroyable. Serons-nous épargnés ou bien le sort tragique de Larousse et de ses héroïques compagnons nous est-il réservé? Veuillez agréer l'assurance de mon entier dévouement. Albert Mézigue. » Une de ces cartes est même adressée à l'ennemi mortel de l'explorateur, le rival perfide qui lui disputait le cœur d'une demoiselle de Touchagues, Marius Pichardon, coiffeur, rue des Oliviers : « Sentiments polis du Congo. Ça grouille de boas constrictors par ici et je pense à toi. » Toutefois, il n'est que juste de remarquer que ce fut le même barbier Pichardon qui devait persuader un jour les conseillers municipaux de Touchagues d'élever une statue à leur illustre concitoyen. Ce qui prouve une fois de plus que la vraie grandeur finit par s'imposer même aux âmes médiocres.

Mais la plupart des cartes portent l'adresse : « Mademoiselle Adeline Pisson, épicerie Pisson, passage des Mimosas. » Pour les touristes que les hitoires d'amour — surtout lorsqu'elles sont un peu tristes — intéressent, la lecture de ces cartes constitue un véritable régal. « Adeline, je viens de graver ton nom sur le trône du Dalaï-Lama (sorte de dieu vivant des populations thibétaines de confession bouddhiste). Sentiments respectueux à la chère maman. J'espère que ses rhumatismes vont mieux. Ton Albert. » Et sur une autre carte, datée de deux ans plus tard : « Bons baisers du lac Tchad (grand lac en voie d'extinction au cœur de l'Afrique noire. Crocodiles. Négresses à plateaux. Chasses à l'éléphant, à l'antilope, au phacochère. Cultures principales : néant). Les indigènes d'ici recommandent fortement la graisse de manioc contre les rhumatismes. Dis-le à ta chère maman. » Il n'oublie jamais les rhumatismes de maman jusque dans les circonstances les plus dramatiques. « Nous sommes perdus dans le désert d'Arabie. J'écris ton nom sur le sable. J'aime le désert : il y a tant de place pour écrire ton nom. Nous avons très soif mais le moral est bon : le salut vient toujours au dernier moment, tous les voyageurs sont d'accord là-dessus. J'espère que ta chère maman ne souffre pas trop de l'humidité. » Une autre carte dit : « Dans la jungle de l'Amazone les moustiques bourdonnent. Je viens de donner ton nom à une rivière et à un papillon. Pichardon doit sûrement essayer de me voler ma clientèle. » Et encore : « En mer. Adeline, tu m'as promis d'être à moi pour la vie quand je serai célèbre. Du haut de ces vagues déchaînées je te dis : à bientôt! » Mais toutes ces cartes ont été depuis longtemps réunies en volume et publiées sous le titre « Les voyages et aventures d'Albert Mézigue » ; elles comptent, et à juste titre, parmi les joyaux de la littérature provençale.

Ce qui est toutefois moins connu, c'est la vie véritable et la fin étrange de l'illustre citoyen de Touchagues. On savait bien qu'il avait quitté à vingt ans son village natal par amour d'une jeune fille du pays qui rêvait d'épouser un grand explorateur. Mais personne ne semble l'avoir jamais rencontré nulle part. Son nom ne figure sur la liste des membres d'aucune société de Géographie. Les journaux de l'époque ne le mentionnent pas. Il ne retourna jamais dans son village où sa statue l'attendit en vain. Les matelots de Marseille prétendent, il est vrai, qu'un monsieur répondant à la description du « pionnier de la géographie » les interrogeait souvent sur leurs voyages. Il leur offrait le pastis et demandait, en leur remettant une carte postale : « Pourriez-vous expédier cette carte de Mexico, s'il vous plaît ? » Mais ce n'est pas avec des racontars de matelots que l'on écrit l'histoire d'un grand homme. Ses ennemis — tous les lions ont des poux — aiment à se prévaloir des termes assez mystérieux, en effet, d'une carte adressée par Mézigue à Mlle Pisson sept ans après son départ pour la grande aventure : « Ainsi, ils m'ont élevé un monument. C'est cuit, je ne pourrai jamais plus revenir. Adeline, j'ai réalisé ton rêve de gloire, mais à quel prix ? » Le fait demeure cependant que jusqu'en 1913 personne ne put dire ce qu'il était advenu de celui que, par la suite, la qualité de sa prose descriptive avait fait surnommer « le barde provençal ». Les gens de Touchagues affirment qu'il trouva la mort par manque d'oxygène lors d'une escalade du mont Everest et cette opinion est exprimée également par le professeur Cornu dans la préface à la première édition des *Voyages et Aventures*.

En 1913, toutefois, la publication des *Mémoires du Vieux Marseille* par le commissaire Pujol vint jeter une lumière nouvelle sur le barde provençal et son cruel destin : Jeudi, 20 juin 1910, note le policier. Aujourd'hui est mort d'une crise cardiaque Albert, le coiffeur du Vieux-Port qui m'a fait la barbe et la moustache pendant près de vingt ans. J'ai trouvé le pauvre diable dans sa mansarde, dont les fenêtres donnent sur l'embarcadère. Dans sa main il serrait une lettre dont le sens, je l'avoue, m'échappe entièrement. « Cher Monsieur Mézigue Albert, disait la lettre. Bien reçu votre dernière carte de Rio de Janeiro (Brésil) pour laquelle merci. Continuez s'il vous plaît, mais le nom est depuis vingt ans déjà Mme Adeline Pichardon, car j'ai été unie par les liens légaux à M. Pichardon, Marius, le barbier bien connu, même que j'ai déjà été sept fois délivrée de ses œuvres. En conséquence j'ai l'honneur de considérer votre demande en mariage du 2. 6. 1885, faite devant témoins, comme nulle et non avenue. De ce j'ai voulu vous informer plus tôt poste restante, comme d'habitude, mais M. Pichardon dit non chaque fois parce que, premièrement, il aime beaucoup vos cartes et retire de leur lecture un grand amusement, et deuxièmement, il a maintenant une très jolie collection de timbres-poste, grâce à vos soins. J'ai le regret de vous informer toutefois qu'il lui manque le cinquante centimes rose de Madagascar, ce de quoi il se plaint tout le temps amèrement, rendant ma vie bien difficile. Je suis sûre que vous ne faites pas exprès pour l'enrager comme il le croit et que c'est un simple oubli de votre part. En conséquence, je vous prie de faire le nécessaire tout de suite. » Elle signait « A vous éternellement, Pichardon Adeline », réduisant ainsi l'éternité à ses justes proportions.

Je parle de l'héroïsme

Lorsque, il y a quelques années, l'Institut français d'Haïti m'invita à faire une conférence littéraire sur un sujet à ma convenance, je n'hésitai pas un seul instant : je choisis l'héroïsme. C'est un sujet qui m'est familier : j'ai passé de longues heures dans ma bibliothèque à l'étudier. Le danger, le courage, l'esprit de sacrifice n'avaient pour ainsi dire plus de secrets pour moi et lorsque j'arrivai à Port-au-Prince, j'étais vraiment prêt à donner le meilleur de moi-même.

Le public de Port-au-Prince est un des plus fins et des plus cultivés qui soient et lorsque, sobrement vêtu, le ruban des palmes académiques à la boutonnière, je montai sur l'estrade, je fis de mon mieux. Il y avait d'ailleurs beaucoup de jolies femmes dans l'assistance et je ne fus pas mécontent d'avoir fait justement une petite cure amaigrissante au cours de laquelle j'avais réussi à perdre une vingtaine de kilos.

J'évoquai Saint-Exupéry, Malraux, Richard Hillary, et je réussis, assez habilement, ma foi, sans jamais parler de mes expériences personnelles comme passager des grandes lignes aériennes, à glisser quelques « nous » assez suggestifs, bien que discrets. L'acoustique était excellente, l'éclairage me prenait de trois quarts comme il fallait, et, tout en expliquant d'une voix ferme comment la mort délibérément affrontée pouvait donner tout son sens à la vie, je m'assurai que notre ambassade était bien représentée et essayai d'évaluer le nombre de jolies femmes dans le public.

Mais brusquement, je sentis un regard pesant sur mon visage. Cela venait du premier rang, où un monsieur se tenait assis, plus noir que le noir de la salle, et dont les yeux attentifs ne me quittaient pas un instant. Je fus assez irrité par cette insistance, d'autant plus que je crus discerner quelque chose de goguenard dans son expression. Je ne me laissai cependant pas troubler et terminai ma conférence en évoquant comment le héros moderne, confronté avec un péril mortel, redécouvre à cette heure suprême toutes les valeurs permanentes oubliées, et comment une telle expérience peut féconder une œuvre et une vie.

Quand je quittai l'estrade, le monsieur qui m'avait écouté avec une telle attention fut le premier à me féliciter.

— Docteur Bonbon, se présenta-t-il. Très belle conférence. On sent chez vous une grande expérience personnelle du sujet.

Je lui dis que je connaissais, en effet, personnellement Jules Roy et que nous avions le même éditeur.

— A propos, dit-il, j'ai été chargé par quelques-uns de vos lecteurs de vous rendre le séjour en

Haïti agréable. J'ai pensé que cela vous amuserait peut-être de chasser le requin au récif des Iroquois. Les émotions fortes ne sont sans doute pas pour vous déplaire...

L'idée, en effet, ne me déplaisait point. Il est important pour un littérateur d'avoir sa légende. Avoir chassé le requin aux Caraïbes pouvait avoir à cet égard un intérêt certain pour les biographes futurs. J'acceptai donc volontiers la proposition faite avec tant de bonhomie par l'aimable docteur. Je me vis attaché à mon siège, luttant avec la dernière énergie avec un poisson gigantesque pendu à mon hameçon... Je devais refaire ma conférence à Cap-Haïtien le lendemain après-midi et nous décidâmes de partir à six heures du matin. A l'heure dite, nous nous retrouvâmes sur la vedette du docteur et mîmes le cap au large sur une eau qu'aucune crainte du cliché ne peut m'empêcher de qualifier d'émeraude. Le docteur fumait une courte pipe en me regardant placidement.

— A propos, dit-il, vous feriez peut-être bien d'essayer votre Cousteau.

— Mon... quoi?

— Vous devriez essayer votre appareil respiratoire, explique le docteur. Vous descendrez sur le récif de corail à près de cinq mètres du bord et les bouteilles d'oxygène vous donnent au moins vingt minutes d'autonomie. Je vais vous expliquer le maniement du fusil sous-marin. C'est très simple.

Il me regarda soudain attentivement.

— Qu'est-ce qu'il y a? demanda-t-il avec douceur. Ça ne va pas?

Je dus m'asseoir. Pendant quelques instants encore, j'essayai de lutter contre l'évidence. Mais les marins étaient en train de monter l'appareil et le docteur, le fusil à la main, me donnait obligeamment des explications techniques. Il n'y avait plus de doute possible. Il ne s'agissait pas de pêcher à l'hameçon. Ces gens-là avaient l'intention de me faire descendre dans cette mer des Caraïbes infestée de requins et de me laisser seul un fusil à la main au milieu de ces hideuses bêtes! J'ouvris la bouche pour protester...

— Vous savez, dit le docteur avec une suavité révoltante, je ne saurais vous dire combien nous avons tous goûté votre émouvante conférence. Tout Haïti va en parler, je m'en charge...

Nous nous regardâmes. Je ne dis rien et fis face. Il y a des moments, dans la vie, où il faut savoir défendre son gagne-pain. La seule chose que j'avais en ce bas monde, c'était ma réputation de conférencier, et, s'il fallait me faire dévorer par les requins pour la conserver, j'étais prêt. On essaya le masque : il m'allait bien. Je regardai sombrement les flots verts. Finir ainsi, bêtement, sans même avoir tiré à cent mille.

— Mettez maintenant la ceinture de plomb. Elle vous permettra de descendre plus facilement...

Je lui trouvai soudain, malgré sa bonhomie apparente, un air diabolique. Je me laissai harnacher.

— Ces garçons vont descendre avec vous, ajouta-t-il, en me désignant les quatre superbes gaillards noirs qui s'affairaient autour de moi.

« Ah! pensai-je avec soulagement. Des gardes du corps. » Je me sentis mieux.

— Ce sont les rabatteurs, expliqua le docteur. Ils vont aller en avant sur vos ailes, pour chasser les requins vers vous. Vous n'aurez qu'à les tirer.

Je n'eus même pas le courage de me révolter. D'ailleurs, tout m'était soudain devenu égal. On me mit d'énormes palmes aux pieds, la ceinture, le masque, on me colla le fusil entre les mains et on m'aida gentiment à passer par-dessus bord.

Je fis « Plouf! »

Je passai ensuite les quelques premières minutes à tourner sur moi-même, comme une toupie, dans l'effort de me garder de tous les côtés à la fois. J'atteignis, je crois, une vitesse de rotation assez étonnante. Mais je m'épuisai rapidement et dus me laisser tomber sur le sable dans un brouillard vert où, pendant quelques instants, je ne vis rien. Puis j'aperçus à ma droite un récif de corail et je commençai à me diriger en crabe de ce côté-là, avec l'intention de me protéger au moins sur mes arrières. Au même instant, je vis un poisson long et mince émerger d'un trou dans le rocher et se figer à quelques centimètres de mon nez. Je poussai un hurlement, mais ce n'était pas un requin.

C'était un barracuda.

Je n'avais jamais vu de barracuda de ma vie, mais celui-là, je le reconnus tout de suite. Il y a des signes qui ne trompent pas, et je les avais tous. Je ne me souviens guère des secondes qui suivirent; tout ce que je peux affirmer, c'est que, contrairement à ce que j'avais dit dans ma conférence, au moment du péril mortel, le héros ne découvre pas du tout les valeurs permanentes de la vie. Ce n'est pas du tout ce qu'il fait, voilà tout ce que je puis dire. Lorsque j'ouvris les yeux, le barracuda était parti. J'étais seul.

Je fis un effort pour remonter à la surface, et j'allais y parvenir lorsque je vis une forme noire, de proportions quasiment monstrueuses, qui fonçait dans ma direction, au-dessus de ma tête. Je poussai un glapissement, saisis mon fusil, fermai les yeux et pressai la détente.

Le fusil me fut arraché avec une telle force que mes bras faillirent le suivre.

En deux secondes, je fus à la surface, gesticulant énergiquement. Fort heureusement, le bateau était tout près sur ma gauche et vira vers moi avec une lenteur exaspérante, pendant que j'essayais de ramener mes jambes contre mon menton. Le bateau s'approcha et, avec une agilité étonnante chez un homme de mon âge, je fus presque aussitôt sur le pont.

— Et votre fusil?

Je repris mon souffle. Puis j'expliquai au docteur ce qui m'était arrivé. J'avais touché un requin, et celui-ci, en tirant sur le câble, m'avait arraché le fusil des mains. Les nageurs noirs rejoignaient, eux aussi, le bateau. L'un d'eux tenait mon fusil. Il donna en créole quelques explications au docteur. Celui-ci me regarda gaiement.

— Apparemment, dit-il, votre harpon est venu se loger dans la coque de la vedette.

Le cynique personnage était évidemment en

train de suggérer que, dans mon affolement, j'avais pris le bateau qui passait au-dessus de ma tête pour un requin. « Oui, pensai-je, eh bien, tu peux toujours essayer de le prouver. »

— J'ai clairement vu un requin passer entre ma tête et le bateau, déclarai-je. Je l'ai manqué. Ça arrive. J'espère faire mieux la prochaine fois.

Le soir à Cap-Haïtien, j'expliquai tranquillement au directeur de notre Institut que, le matin même, j'avais chassé le requin aux Iroquois.

— Aux Iroquois? dit-il. Mais, de mémoire d'homme, il n'y a jamais eu de requins aux Iroquois. Ils ne traversent pas les récifs.

Lorsque je montai à la tribune, à ma surprise — nous étions à une heure d'avion de Port-au-Prince — le docteur Bonbon se tenait tranquillement au premier rang. Il avait dû prendre l'avion tout exprès pour venir écouter encore une fois ma conférence sur l'héroïsme. Nous nous regardâmes. Mais si ce personnage diabolique croyait qu'il allait me troubler et me démonter, il me connaissait mal. Il y a une qualité que personne ne peut me dénier, c'est le courage moral, et il pouvait me regarder avec autant d'ironie que bon lui semblait, j'étais résolu à m'élever une fois de plus à la hauteur de mon sujet.

— Mesdames, Messieurs, commençai-je, lorsque, dans sa solitude, le héros moderne se trouve confronté avec un péril mortel, la première chose qu'il découvre alors...

Le docteur Bonbon me regardait avec une certaine admiration.

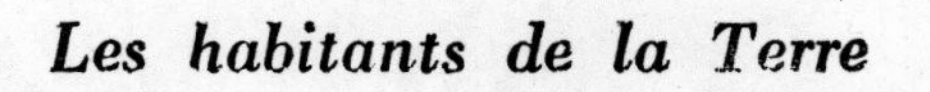

Les habitants de la Terre

Sur la route de Hambourg à Neugern il y avait avant la guerre une bourgade qui s'appelait Paternosterkirchen. La région fut jadis célèbre pour son industrie du verre et sur la place principale du lieu, devant le palais du Bourgmestre, les touristes venaient admirer la fameuse fontaine du Souffleur, représentant le légendaire Johann Krull, maître ouvrier qui avait juré de souffler son âme dans une pièce de verre de Paternosterkirchen, afin que l'industrie qui avait fait la renommée du pays pût être dignement représentée au paradis. La statue du brave Johann en train d'accomplir son exploit, ainsi que le palais du Bourgmestre, un curieux bâtiment du XIIIe siècle où étaient conservés les échantillons de toutes les pièces soufflées à Paternosterkirchen, ont disparu en même temps que le reste de la petite ville au cours du dernier conflit mondial, à la suite d'une erreur de bombardement.

Il était quatre heures de l'après-midi et la place du Souffleur était vide. A l'ouest, un soleil jaune et gonflé s'enfonçait lentement dans une poussière noirâtre qui flottait au-dessus des ruines de l'ancien quartier résidentiel, où des équipes de déblaiement achevaient d'abattre les murs de la Schola Cantorum, connue jadis dans toute l'Allemagne pour avoir formé quelques-uns des plus fameux chœurs du pays. La Schola avait été fondée par les propriétaires des souffleries de la ville, en 1760, et, dès leur plus jeune âge, les enfants des ouvriers y venaient exercer leur souffle sous la direction du curé. Il neigeait un peu : les flocons descendaient lentement et semblaient hésiter avant de toucher terre. La place demeura vide, un bon moment ; un chien osseux la traversa rapidement, en suivant son idée, le nez collé au sol ; un corbeau descendit avec prudence, piqua quelque chose et s'envola aussitôt. Un homme et une jeune fille sortirent d'un terrain vague, à l'endroit précis où commençait jadis le Ganzgemütlichgässchen. L'homme avait une valise à la main; il était âgé, petit, tête nue, vêtu d'un pardessus râpé. Il portait autour du cou une maigre écharpe soigneusement nouée ; il essayait néanmoins de rentrer le plus possible la tête dans ses épaules, sans doute pour diminuer d'autant la surface exposée au froid. Un poil gris sortait de sa figure ronde et ridée, aux yeux effarés. Il paraissait complètement ahuri. Il tenait par la main une jeune fille blonde qui regardait fixement devant elle, un sourire curieusement figé aux lèvres. Elle portait une jupe trop courte pour son âge et même un peu indécente, ainsi qu'un ruban de fillette dans les cheveux : on eût dit qu'elle avait grandi sans s'en apercevoir. Elle devait avoir pourtant dans les vingt ans. Elle était outrageusement et maladroitement maquillée : des taches d'ocre, mal étalées, débordaient les pommettes, le rouge donnait aux lèvres une forme asymétrique. On sentait le travail des doigts gelés. Elle portait des souliers d'homme sur des bas de laine, une petite veste en fourrure miteuse, aux manches trop courtes, et des gants troués. Le couple fit quelques pas et s'arrêta au milieu de la place bien déblayée, à l'endroit où se dressait jadis la statue du bon Johann et où l'on ne voyait maintenant que les traces laissées sur la terre humide par les roues des camions qui allaient rejoindre l'autostrade de Hambourg. Les flocons de neige descendaient lentement dans leurs cheveux et sur leurs épaules; c'était une neige pauvre et ratée qui n'arrivait pas à ses fins et ne faisait que souligner tout ce qu'il y avait de gris au monde.

— Où sommes-nous? demanda la jeune fille. Vous avez trouvé la statue?

Son compagnon promena son regard sur la place vide, puis soupira.

— Oui, dit-il. Elle est juste devant nous, là où elle devait être.

— Elle est belle?

— Très belle.

— Alors, vous êtes content?

— Oui.

Il posa sa petite valise par terre.

— On va s'asseoir un moment, dit-il. Les camions passent par ici et il y en aura bien un qui acceptera de nous prendre. Évidemment, on aurait pu suivre l'autostrade directement, mais je n'ai pas voulu passer près du village sans revoir la statue de Johann Krull. J'ai joué tant de fois ici, lorsque j'étais petit.

— Eh bien, regardez-la, dit la jeune fille. Nous ne sommes pas pressés.

Ils s'assirent sur la petite valise et demeurèrent un moment serrés l'un contre l'autre, sans parler. Ils avaient cet air calme et chez eux des gens de nulle part. La jeune fille souriait toujours et le bonhomme paraissait compter les flocons de neige. Parfois, il sortait de sa rêverie et se frappait la poitrine de ses bras, en soufflant bruyamment, puis il se calmait. Cet exercice semblait lui fournir pour quelque temps toute la chaleur dont il avait besoin. La jeune fille ne bougeait pas. Elle ne semblait pas avoir besoin de chaleur. Son compagnon ôta son soulier droit et commença à masser vigoureusement son pied, en faisant la grimace. De temps en temps, un camion chargé de débris traversait la place et le bonhomme se levait d'un bond et gesticulait fébrilement, mais les camions ne s'arrêtaient pas. Il se rasseyait alors tranquillement et recommençait à masser son pied gelé avec application. Les camions laissaient derrière eux un nuage de poussière et de saleté et il se passait un bon moment avant que l'œil pût saisir un flocon blanc.

— Il neige toujours ? demanda la jeune fille.

— Oh là là! Bientôt on ne verra plus la terre.

— Tant mieux.

— Pardon ?

— J'ai dit : tant mieux.

Le bonhomme suivit tristement du regard un flocon débile qui passait par là, lui tendit la main et referma le poing sur une larme glacée.

— Ça doit être joli, dit la jeune fille. J'aime bien la neige. J'aimerais bien voir la statue aussi.

Il ne répondit pas, sortit de sa poche une petite fiole de schnaps, tira le bouchon avec ses dents et but parcimonieusement. Il promena ensuite autour de lui un regard effaré et porta vite le goulot à ses lèvres.

— Ça sent l'alcool, dit la jeune fille.

Le bonhomme remit précipitamment la fiole dans sa poche.

— C'est un passant, dit-il. Il a sans doute bu. Qu'est-ce que tu veux, demain, c'est Noël.

— Remettez-moi un peu de poudre, dit la jeune fille. J'ai l'impression d'avoir la figure toute bleue.

— C'est le froid, dit son compagnon, et il soupira.

Il fouilla dans sa poche, trouva le poudrier, l'ouvrit et approcha la houppette du visage de la jeune fille. La houppette tomba deux ou trois fois de ses doigts engourdis.

— Là, fit-il enfin.

— Il m'a regardée?

— Hein? s'étonna le bonhomme. Qui ça? Ah! bien sûr, se rattrapa-t-il. Tous les passants te regardent, bien sûr. Tu es très jolie.

— Ça m'est égal. Mais je ne veux pas avoir l'air d'une folle. J'étais toujours très bien coiffée et bien habillée. Mes parents y tenaient beaucoup.

Des corbeaux s'élevèrent brusquement d'un terrain vague, flottèrent un moment au-dessus de la place déserte et s'éloignèrent en croassant. La jeune fille leva un peu la tête et sourit.

— Vous entendez? J'aime beaucoup le cri des corbeaux. On voit tout de suite le paysage.

— Oui, dit le bonhomme.

Il regarda autour de lui peureusement, tira rapidement la fiole de schnaps de sa poche et but.

— Un paysage de Noël, dit la jeune fille, en souriant toujours, les yeux levés. J'imagine ça très bien, comme si je le voyais. Des cheminées qui fument dans le crépuscule, le marchand qui pousse sa brouette chargée de sapins, des boutiques gaies et bien approvisionnées, les flocons blancs dans les fenêtres éclairées...

Son compagnon baissa la bouteille et s'essuya les lèvres.

— Oui, dit-il, d'une voix un peu éraillée. Oui, c'est tout à fait ça. Il y a aussi un bonhomme de neige, avec un chapeau haut de forme et une pipe. C'est sûrement les enfants qui l'ont fait. Nous en faisions toujours un, pour Noël.

— Si je dois vraiment recouvrer la vue, j'aimerais bien que ce soit pour Noël. Tout est tellement blanc, tellement propre.

Le vieux regardait une flaque de boue à ses pieds d'un air morne.

— Oui.

— Remarquez, je ne suis pas pressée. Je suis bien comme je suis.

Le petit homme s'anima soudain, gesticula, les bras levés.

— Mais non, mais non, protesta-t-il. Il ne faut pas dire ça. Justement, c'est ça qui t'empêche de voir. C'est psychologique... Les docteurs ont tous reconnu que le traitement peut être long, qu'il peut être difficile, mais tu guériras sûrement. Si tu continues à résister, même le professeur Stern ne pourra rien pour toi. Je sais bien tout ce que tu as vu, tout ce qu'on t'en a fait voir...

Il gesticulait en pérorant, assis sur la petite valise, et les deux bouts de son écharpe s'agitaient aussi.

— Tu as eu un bien grand choc. Mais c'étaient des soldats, des brutes de guerre... Tous les hommes ne sont pas comme ça. Il faut avoir confiance dans les hommes. Tu n'es pas vraiment aveugle. Tu ne vois pas parce que tu ne veux pas voir... Tous les médecins ont dit que c'est un choc nerveux... Si tu y mets un peu de bonne volonté, si tu ne résistes pas, si tu veux voir, le professeur Stern te guérira sûrement, peut-être pour Noël prochain. Seulement, il faut avoir confiance!

— Vous sentez l'alcool, dit la jeune fille.

L'homme se tut, enfonça les mains dans les manches de son pardessus et rentra la tête dans ses épaules. Il se serra un peu plus contre la jeune fille et ils demeurèrent à nouveau silencieux sur leur petite valise, pendant que la neige continuait autour d'eux sa valse hésitante.

Un camion quitta les ruines de la Schola Cantorum et traversa la place. Le petit homme se leva une fois de plus pour l'arrêter, mais ne manifesta pas d'espoir lorsque le camion ralentit, ni de dépit lorsqu'il s'éloigna. Le camion était chargé de débris et laissa derrière lui une poussière rouge. La jeune fille en reçut dans la figure et se frotta les yeux ; son compagnon sortit de sa poche un mouchoir très propre et lui frotta délicatement les paupières et le front avec attention, comme s'il eût voulu faire disparaître la moindre trace d'impureté.

— Il ne s'est pas arrêté? demanda la jeune fille.

— Il ne nous a sûrement pas vus.

La nuit les enveloppait peu à peu et le ciel remplaça ses flocons par des étoiles. Les derniers corbeaux s'envolèrent avec des cris à demi endormis et la lune se leva pour arranger un peu les choses et adoucir les ténèbres. Un camion passa encore : les phares regardèrent fixement le couple, puis se détournèrent avec indifférence.

— Il va falloir marcher, dit le bonhomme. Ils ne vont sûrement pas dans notre direction et on ne peut tout de même pas leur demander de changer de chemin.

La jeune fille se leva et attendit. Son compagnon s'affaira autour de la valise.

— Voilà, voilà.

Il regarda la jeune fille à la dérobée, prit rapidement une autre bouteille, plus grosse, dans la valise et but. Il s'arrêta pour souffler et but encore. Dans la valise, il y avait des jouets, des poupées, des ours en peluche, des cheveux d'anges et des boules multicolores. Il y avait aussi un déguisement de père Noël : une robe rouge bordée de blanc, un bonnet avec son pompon, et une fausse barbe blanche. Le bonhomme referma la valise, prit la jeune fille par la main et ils se mirent à marcher vers l'autostrade. La neige avait mouillé l'asphalte et la route brillait sous leurs pas. Ils arrivèrent bientôt à un poteau qui indiquait la direction de Hambourg et la distance : soixante-cinq kilomètres. Le bonhommme jeta un regard à l'inscription et pressa le pas.

— On est presque arrivés, dit-il avec satisfaction.

Les phares d'un camion apparurent sur la route et agrandirent rapidement leur regard dans un grondement monotone. Le bonhomme bondit, s'agita, leva le bras et fit de grands gestes. Le camion les dépassa d'abord, puis freina et revint lentement en marche arrière. Le bonhomme trotta vers la portière.

— Nous allons à Hambourg, cria-t-il.

On ne voyait pas le visage du chauffeur, au fond de la cabine. Juste une silhouette obscure et les mains sous la veilleuse bleue qui tremblaient sur le volant. L'homme parut les observer un moment, puis une main se détacha du volant et leur fit signe de monter. Il faisait chaud, dans la cabine. La jeune fille s'appuya contre la portière, glissa les mains dans les manches de sa veste et s'endormit avant même que le camion ne démarrât. Son compagnon s'installa à côté d'elle, la valise sur ses genoux. Il était vraiment petit et ses pieds, chaussés de gros godillots craquelés et boueux, se balançaient sans toucher le sol. Dans la lumière de la veilleuse, son visage blafard et rond paraissait enfantin malgré les rides et le poil gris des joues et du menton. Son corps suivait le mouvement du camion, mais il faisait très attention de ne pas heurter la jeune fille, de ne pas la réveiller. Le bruit du moteur et la chaleur de la cabine lui montaient visiblement à la tête et, s'ajoutant à la fatigue et aux effets de l'alcool, parurent le saouler. Il se mit à parler au chauffeur avec volubilité. Il s'appelait Adolf Kanninchen, de Hanovre, il était marchand ambulant ; il vendait des jouets et si le chauffeur avait des enfants il se ferait un plaisir de lui montrer ses articles... Le chauffeur ne paraissait pas écouter, on ne voyait de son visage qu'une tache luisante. De temps en temps, il jetait un regard rapide à la jeune fille endormie dans son coin. Malheureusement, papotait le bonhomme, les affaires n'étaient pas fameuses. Il avait beaucoup compté sur les fêtes et il avait fait une mise de fonds considérable pour acheter des articles de Noël et un déguisement pour lui-même, mais il avait beau traîner dans les rues pendant des heures avec son bonnet rouge et sa barbe blanche, ils n'arrivaient même plus a manger à leur faim. Peut-être qu'à Hambourg, une grande ville, ça irait mieux. Oui, ils se rendaient à Hambourg : il s'agissait de la jeune fille. Elle était... Comment dire ? Elle était malade. Les parents avaient été tués et, de plus, la pauvre petite, il lui était arrivé malheur. Oh ! il ne tenait pas à entrer dans les détails, les soldats sont ce qu'ils sont, on ne peut pas leur en vouloir vraiment. Mais enfin, ce fut un grand choc pour la petite : elle a perdu brusquement la vue. Plus exactement, il s'agit, comme l'a dit le docteur, d'une cécité psychologique. Elle a fermé les yeux sur le monde, voilà. Quelque chose d'assez compliqué. Elle n'est pas à proprement parler aveugle, mais c'est tout comme, puisqu'elle ne peut pas voir. Naturellement, elle refuse de voir, mais les médecins disent que ça revient au même. Il ne s'agit pas du tout de simulation. Une forme d'hystérie, c'est ainsi que les médecins appellent ça. Elle ne veut plus rien voir. Elle s'est réfugiée dans la cécité, comme ils disent. Très difficile à guérir, il faut beaucoup de délicatesse, de dévouement, d'affection... Le chauffeur tourna encore une fois la tache luisante de son visage vers la jeune fille, la regarda plus longuement, puis se tourna vers la route. Oui, la petite est du verre fêlé, du fragile. Les bombardements, la vie dans les ruines et puis ces malheureux soldats... Oh! bien sûr, ils ne savaient pas ce qu'ils faisaient, c'était la guerre, ils croyaient bien faire. Seulement, voilà, depuis, la petite a fermé les yeux sur tout. C'est-à-dire, elle les a fermés à l'intérieur d'elle-même, autrement, elle les tient toujours ouverts, ils sont même très jolis, tout bleus — enfin, c'est difficile à expliquer. Tout cela est très psychologique. C'est guérissable, bien sûr, la science a fait de tels progrès, il n'y a qu'à voir tout autour, c'est merveilleux, surtout en Allemagne, nous avons de très grands savants, de véritables pionniers d'un monde nouveau, même nos ennemis l'admettent. Seulement, de vrai spécialiste, les médecins disent qu'il n'y en a qu'un. Le professeur Stern, à Hambourg. C'est un homme sans précédent, un événement sur la terre. Tous les médecins sont d'accord là-dessus. Il vous soigne même pour rien, si le cas est intéressant. Et le cas de la petite est très intéressant, il n'y a pas de doute là-dessus. Cécité psychologique, disent les médecins. Très rare, quelque chose d'extra. Tout à fait ce qu'il faut pour le professeur Stern, qui fait tout par la psychologie. Il parle au malade avec gentillesse — la gentillesse, là-dedans, c'est l'essentiel, là comme partout — et puis il prend des notes et au bout de quelques mois, ça y est, le malade est guéri. C'est très long, malheureusement. Il faut aller très doucement. Vous comprenez, c'est du verre fêlé, cette petite, il faut la garder dans du coton. Aussi, je fais bien attention à ce que je lui dis, je peins toujours tout sous des couleurs agréables. Pas de ruines, pas de soldats, rien que des petites maisons gentilles, tuiles rouges, jardins potagers, des braves gens dans tous les coins. Je lui mets un peu de rose partout, vous comprenez. Ça me va très bien, d'ailleurs, je suis optimiste de nature. Je fais confiance aux gens. Je dis toujours : Faites confiance aux gens, ils vous le rendront au centuple. Ce qui m'inquiète un peu, c'est que le traitement est si long, mais j'espère que les gens, à Hambourg, sont friands de jouets. Les gosses, en Allemagne, ça ne manque pas, ce sont plutôt les parents qui manquent, ce qui explique un peu la mévente des jouets. Enfin, je reste optimiste. Nous, les hommes, nous ne sommes pas encore arrivés, nous prenons seulement le départ, il suffit d'aller de l'avant, un jour on sera vraiment quelqu'un. J'ai confiance en l'avenir. La petite n'est pas ma fille, ni ma nièce, rien de tout cela, c'est une étrangère, si vous voulez, dans la mesure où un homme peut considérer son prochain comme un étranger...

Assis sur la banquette, la valise sur ses genoux, il faisait de grands gestes, son petit visage tout bleu dans la lumière de la veilleuse. Le regard du chauffeur glissa encore une fois vers la jeune fille, s'arrêta un instant sur les joues maquillées, les lèvres entrouvertes dans un sourire endormi, sur la faveur rose dans ses cheveux blonds. Le bonhomme continuait à papoter, mais il se balançait de plus en plus et son menton touchait sa poitrine... Les freins grincèrent. Le bonhomme s'était endormi, plié en deux sur sa valise. Il fut projeté en avant, le nez contre le pare-brise et poussa un hurlement.

— Qu'est-ce que c'est, mon Dieu ?

— Descends.

— Vous n'allez pas plus loin ?

— Descends, je te dis.

Le bonhomme s'affaira.

— Eh bien, ça ne fait rien, ça ne fait rien... En vous remerciant...

Il sauta sur la chaussée, posa sa valise et tendit les bras pour aider la jeune fille à descendre. Mais le chauffeur se pencha, lui claqua la portière au nez et démarra. Le bonhomme demeura seul sur la route, les bras encore tendus, la bouche ouverte. Il regarda le feu rouge du camion s'éloigner rapidement dans la nuit, puis poussa un cri, saisit la valise et se mit à courir. Il neigeait maintenant pour de bon et sa silhouette gesticulait et s'agitait lamentablement parmi les flocons blancs. Il courut un bon moment, puis ralentit, essoufflé, s'arrêta, s'assit sur la route et se mit à pleurer. La neige valsait gentiment autour de lui, venait se poser dans ses cheveux, glissait dans son cou. Il cessa de sangloter mais eut le hoquet et dut se frapper la poitrine pour essayer de le maîtriser. Il soupira enfin profondément, s'essuya les yeux du bout de son écharpe, saisit la petite valise et se remit en route. Il marcha une bonne demi-heure et soudain aperçut devant lui une silhouette familière. Il poussa un cri de joie et courut vers elle. La jeune fille se tenait immobile au milieu de la chaussée et paraissait l'attendre. Elle souriait, la main tendue : les flocons épais fondaient doucement entre ses doigts. Le bonhomme lui entoura les épaules de son bras.

— Excuse-moi, bredouilla-t-il. J'ai perdu un instant confiance... J'ai eu tellement peur! J'imaginais les pires choses... Je pensais que je ne te reverrais plus.

La belle faveur de soie rose était défaite. Le maquillage s'était brouillé, le rouge des lèvres était répandu sur les joues, sur le cou. La fermeture éclair de la jupe était arrachée. Elle tirait maladroitement sur un bas qui refusait de tenir.

— Et puis, on ne sait jamais, il aurait pu te faire du mal...

— Il ne faut pas toujours imaginer le pire, dit la jeune fille.

Le bonhomme approuva énergiquement.

— C'est vrai, c'est vrai, reconnut-il.

Il leva la main et saisit un flocon.

— Si seulement tu pouvais voir ça, s'exclama-t-il. Cette fois, c'est de la vraie neige! Demain, on ne verra rien d'autre. Tout sera blanc et neuf, bien propre. Allons, en route! Nous ne devons plus être très loin.

Ils arrivèrent presque aussitôt à une borne et le bonhomme lut, en tendant le cou : « Hambourg, cent vingt kilomètres. » Il ôta ses lunettes précipitamment, ses yeux et sa bouche s'ouvrirent démesurément dans une expression de consternation. Le malheureux chauffeur leur avait fait parcourir soixante kilomètres dans une mauvaise direction. Il n'allait pas du tout à Hambourg. Le pauvre, sans doute avait-il mal compris ce qu'on lui disait.

— Allons, dit-il gaiement, ce n'est plus du tout loin, à présent.

Il la prit par la main et ils continuèrent à marcher dans la nuit blanche qui leur caressait le visage.

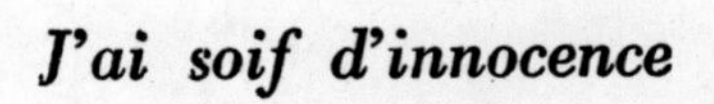

J'ai soif d'innocence

Lorsque je décidai enfin de quitter la civilisation et ses fausses valeurs et de me retirer dans une île du Pacifique, sur un récif de corail, au bord d'une lagune bleue, le plus loin possible d'un monde mercantile entièrement tourné vers les biens matériels, je le fis pour des raisons qui ne surprendront que les natures vraiment endurcies.

J'avais soif d'innocence. J'éprouvais le besoin de m'évader de cette atmosphère de compétition frénétique et de lutte pour le profit où l'absence de tout scrupule était devenue la règle et où, pour une nature un peu délicate et une âme d'artiste comme la mienne, il devenait de plus en plus difficile de se procurer ces quelques facilités matérielles indispensables à la paix de l'esprit.

Oui, c'est surtout de désintéressement que j'avais besoin. Tous ceux qui me connaissent savent le prix que j'attache à cette qualité, la première et peut-être même la seule que j'exige de mes amis. Je rêvais de me sentir entouré d'êtres simples et serviables, au cœur entièrement incapable de calculs sordides, auxquels je pourrais tout demander, leur accordant mon amitié en échange, sans craindre que quelque mesquine considération d'intérêt ne vînt ternir nos rapports.

Je liquidai donc les quelques affaires personnelles dont je m'occupais et arrivai à Tahiti au début de l'été.

Je fus déçu par Papeete.

La ville est charmante, mais la civilisation y montre partout le bout de l'oreille, tout y a un prix, un salaire, un domestique y est un salarié et non un ami et s'attend à être payé au bout du mois, l'expression « gagner sa vie » y revient avec une insistance pénible et, ainsi que je l'ai dit, l'argent était une des choses que j'étais décidé à fuir le plus loin possible.

Je résolus donc d'aller vivre dans une petite île perdue des Marquises, Taratora, que je choisis au hasard sur la carte, et où le bateau du Comptoir Perlier d'Océanie jetait l'ancre trois fois par an.

Dès que je pris pied sur l'île, je sentis que mes rêves étaient enfin sur le point de se réaliser.

Toute la beauté mille fois décrite, mais toujours bouleversante, lorsqu'on la voit enfin de ses propres yeux, du paysage polynésien, s'offrit à moi au premier pas que je fis sur la plage : la chute vertigineuse des palmiers de la montagne à la mer, la paix indolente d'une lagune que les récifs entouraient de leur protection, le petit village aux paillotes dont la légèreté même semblait indiquer une absence de tout souci et d'où courait déjà vers moi, les bras ouverts, une population dont, je le sentis immédiatement, on pouvait tout obtenir par la gentillesse et l'amitié.

Car, comme toujours avec moi, c'est surtout à la qualité des êtres humains que je fus le plus sensible.

Je trouvai là sur pied une population de quelques centaines de têtes qu'aucune des considérations de notre capitalisme mesquin ne paraissait avoir touchée et qui était à ce point indifférente au lucre que je pus m'installer dans la meilleure paillote du village et m'entourer de toutes les nécessités immédiates de l'existence, avoir mon pêcheur, mon jardinier, mon cuisinier, tout cela sans bourse délier, sur la base de l'amitié et de la fraternité la plus simple et la plus touchante et dans le respect mutuel.

Je devais cela à la pureté d'âme des habitants, à leur merveilleuse candeur, mais aussi à la bienveillance particulière à mon égard de Taratonga.

Taratonga était une femme âgée d'une cinquantaine d'années, fille d'un chef dont l'autorité s'était étendue autrefois sur plus de vingt îles de l'archipel. Elle était entourée d'un amour filial par la population de l'île et, dès mon arrivée, je déployai tous mes efforts pour m'assurer son amitié. Je le fis tout naturellement, sans essayer de me montrer différent de ce que j'étais, mais, au contraire, en lui ouvrant mon âme. Je lui exposai les raisons qui m'avaient poussé à venir dans son île, mon horreur du vil mercantilisme et du matérialisme sordide, mon besoin déchirant de redécouvrir ces qualités de désintéressement et d'innocence hors desquelles il n'est point de survie pour l'humain, et je lui confiai ma joie et ma gratitude d'avoir enfin trouvé tout cela auprès de son peuple. Taratonga me dit qu'elle me comprenait parfaitement et qu'elle n'avait elle-même qu'un but dans la vie : empêcher que l'argent ne vînt souiller l'âme des siens. Je compris l'allusion et l'assurai solennellement que pas un sou n'allait sortir de ma poche pendant tout mon séjour à Taratora. Je rentrai chez moi et, pendant les semaines qui suivirent, je fis de mon mieux pour observer la consigne qui m'avait été donnée si discrètement. Je pris même tout l'argent que j'avais et l'enterrai dans un coin de ma case.

J'étais dans l'île depuis trois mois, lorsqu'un jour un gamin m'apporta un cadeau de celle que je pouvais désormais appeler mon amie Taratonga. C'était un gâteau de noix, qu'elle avait préparé elle-même à mon intention, mais ce qui me frappa immédiatement ce fut la toile dans laquelle le gâteau était enveloppé.

C'était une grossière toile à sac, mais peinte de couleurs étranges, qui me rappelaient vaguement quelque chose ; et, au premier abord, je ne sus quoi.

J'examinai la toile plus attentivement et mon cœur fit un bond prodigieux dans ma poitrine.

Je dus m'asseoir.

Je pris la toile sur mes genoux et la déroulai soigneusement. C'était un rectangle de cinquante centimètres sur trente et la peinture était craquelée et à demi effacée par endroits.

Je restai là un moment, fixant la toile d'un œil incrédule.

Mais il n'y avait pas de doute possible.

J'avais devant moi un tableau de Gauguin.

Je ne suis pas grand connaisseur en matière de peinture, mais il y a aujourd'hui des noms dont chacun sait reconnaître sans hésiter la manière. Je déployai encore une fois la toile d'une main tremblante et me penchai sur elle. Elle représentait un petit coin de la montagne tahitienne et des baigneuses au bord d'une source, et les couleurs, les silhouettes, le motif lui-même étaient à ce point reconnaissables que, malgré le mauvais état de la toile, il était impossible de s'y tromper.

J'eus, à droite, du côté du foie, ce pincement douloureux qui, chez moi, accompagne toujours les grands élans du cœur.

Une œuvre de Gauguin, dans cette petite île perdue! Et Taratonga qui s'en était servie pour envelopper son gâteau! Une peinture qui, vendue à Paris, devait valoir cinq millions! Combien d'autres toiles avait-elle utilisées ainsi pour faire des paquets ou pour boucher des trous ? Quelle perte prodigieuse pour l'humanité!

Je me levai d'un bond et me précipitai chez Taratonga pour la remercier de son gâteau.

Je la trouvai en train de fumer sa pipe devant sa maison, face à la lagune. C'était une forte femme, aux cheveux grisonnants, et malgré ses seins nus, elle conservait, même dans cette attitude, une dignité admirable.

— Taratonga, lui dis-je, j'ai mangé ton gâteau. Il était excellent. Merci.

Elle parut contente.

— Je t'en ferai un autre aujourd'hui.

J'ouvris la bouche, mais ne dis rien. C'était le moment de faire preuve de tact. Je n'avais pas le droit de donner à cette femme majestueuse l'impression qu'elle était une sauvage qui se servait des œuvres d'un des plus grands génies du monde pour faire des paquets. J'avoue que je souffre d'une sensibilité excessive, mais je tenais à éviter cela à tout prix.

Quitte à recevoir un autre gâteau enveloppé dans une toile de Gauguin, je devais me taire. La seule chose qui n'a pas de prix, c'est l'amitié.

Je revins donc dans ma case et attendis.

L'après-midi, le gâteau arriva, enveloppé dans une autre toile de Gauguin. Elle était dans un état encore plus piteux que la précédente. Quelqu'un semblait même avoir gratté la toile avec un couteau. Je faillis me précipiter chez Taratonga. Mais je me retins. Il fallait procéder avec prudence. Le lendemain, j'allai la voir et lui dis avec simplicité que son gâteau était la meilleure chose que j'eusse jamais mangée.

Elle sourit avec indulgence et bourra sa pipe.

Au cours des huit jours suivants, je reçus de Taratonga trois gâteaux enveloppés dans trois toiles de Gauguin. Je vivais des heures extraordinaires. Mon âme chantait — il n'y a pas d'autre mot pour décrire les heures d'intense émotion artistique que j'étais en train de vivre.

Puis le gâteau continua à arriver, mais sans enveloppe.

Je perdis complètement le sommeil. Ne restait-il plus d'autres toiles, ou bien Taratonga avait-elle simplement oublié d'envelopper le gâteau ? Je me sentais vexé et même légèrement indigné. Il faut bien reconnaître que malgré toutes leurs qualités, les indigènes de Taratora ont également quelques graves défauts dont une certaine légèreté, qui fait qu'on ne peut jamais compter sur eux complètement. Je pris quelques pilules pour me calmer et essayai de trouver un moyen de parler à Taratonga sans attirer son attention sur son ignorance. Finalement, j'optai pour la franchise. Je retournai chez mon amie.

— Taratonga, lui dis-je, tu m'as envoyé à plusieurs reprises des gâteaux. Ils étaient excellents. Ils étaient, de plus, enveloppés dans des toiles de sacs peintes qui m'ont vivement intéressé. J'aime les couleurs gaies. D'où les as-tu ? En as-tu d'autres ?

— Oh! ça... dit Taratonga avec indifférence. Mon grand-père en avait tout un tas.

— Tout... un tas ? bégayai-je.

— Oui, il les avait reçues d'un Français qui habitait l'île et qui s'amusait comme ça, à couvrir des toiles de sacs avec des couleurs. Il doit m'en rester encore.

— Beaucoup ? murmurai-je.

— Oh! je ne sais pas. Tu peux les voir. Viens.

Elle me conduisit dans une grange pleine de poissons secs et de coprah. Par terre, couvertes de sable, il y avait une douzaine de toiles de Gauguin. Elles étaient toutes peintes sur des sacs et avaient beaucoup souffert, mais il y en avait plusieurs qui étaient encore en assez bon état. J'étais pâle et tenais à peine sur mes jambes. « Mon Dieu, pensai-je encore, quelle perte irréparable pour l'humanité, si je n'étais pas passé par là! » Cela devait aller chercher dans les trente millions...

— Tu peux les prendre, si tu veux, dit Taratonga.

Un combat terrible se livra alors dans mon âme. Je connaissais le désintéressement de ces êtres merveilleux et ne voulais pas introduire dans l'île, dans l'esprit de ses habitants, ces notions mercantiles de prix et de valeur qui ont déjà sonné le glas de tant de paradis terrestres. Mais tous les préjugés de notre civilisation, que je tenais malgré tout bien ancrés en moi, m'empêchaient d'accepter un tel cadeau sans rien offrir en échange. D'un geste, j'arrachai de mon poignet la superbe montre en or que je possédais et la tendis à Taratonga.

— Laisse-moi t'offrir à mon tour un cadeau, la priai-je.

— Nous n'avons pas besoin de ça ici pour savoir l'heure, dit-elle. Nous n'avons qu'à regarder le soleil.

Je pris alors une décision pénible.

— Taratonga, lui dis-je, je suis malheureusement obligé de rentrer en France. Des raisons humanitaires me l'ordonnent. Justement, le bateau arrive dans huit jours et je vais vous quitter. J'accepte ton cadeau. Mais à condition que tu me permettes de faire quelque chose pour toi et les tiens. J'ai un peu d'argent. Oh! très peu. Permets-moi de te le laisser. Vous avez tout de même besoin d'outils et de médicaments.

— Comme tu voudras, dit-elle avec indifférence.

Je remis sept cent mille francs à mon amie. Puis je saisis les toiles et courus vers ma paillote. Je passai une semaine d'inquiétude en attendant le bateau. Je ne savais pas ce que je craignais au juste. Mais j'avais hâte de partir de là. Ce qui caractérise certaines natures artistiques, c'est que la contemplation égoïste de la beauté ne leur suffit pas, elles éprouvent au plus haut point le besoin de partager cette joie avec leurs semblables. J'étais pressé de rentrer en France, d'aller chez les marchands de tableaux leur offrir mes trésors. Il y en avait pour une centaine de millions. La seule chose qui m'irritait, c'était que l'État allait sûrement prélever trente à quarante pour cent du prix obtenu. Car tel est l'envahissement par notre civilisation du domaine le plus privé du monde, celui de la beauté.

A Tahiti, je dus attendre quinze jours un bateau pour la France. Je parlai aussi peu que possible de mon atoll et de Taratonga. Je ne voulais pas que l'ombre de quelque main commerçante vînt se jeter sur mon paradis. Mais le propriétaire de l'hôtel où j'étais descendu connaissait bien l'île et Taratonga.

— C'est une fille assez sensationnelle, me dit-il un soir.

Je gardai le silence. Je trouvai le mot « fille », appliqué à un des êtres les plus nobles que je connaisse, parfaitement outrageant.

— Elle vous a naturellement fait voir ses peintures? demanda mon hôte.

Je me redressai.

— Pardon?

— Elle fait de la peinture et assez bien, ma parole. Elle a passé trois ans aux Arts décoratifs à Paris, il y a une vingtaine d'années. Et lorsque les cours du coprah sont devenus ce que vous savez, avec les synthétiques, elle est revenue dans l'île. Elle fait des espèces d'imitations de Gauguin assez étonnantes. Elle a un contrat régulier avec l'Australie. Ils lui paient ses toiles vingt mille francs la pièce. Elle vit de ça... Qu'est-ce qu'il y a, mon vieux? Ça ne va pas?

— Ce n'est rien, bafouillai-je.

Je ne sais pas où je trouvai la force de me lever, de monter dans ma chambre et de me jeter sur le lit. Je demeurai là, prostré, saisi par un profond, un invincible dégoût. Une fois de plus, le monde m'avait trahi. Dans les grandes capitales comme dans le plus petit atoll du Pacifique, les calculs les plus sordides avilissent les âmes humaines. Il ne me restait vraiment qu'à me retirer dans une île déserte et à vivre seul avec moi-même si je voulais satisfaire mon lancinant besoin de pureté.

La plus vieille histoire du monde

La Paz est à cinq mille mètres au-dessus du niveau de la mer — on ne peut pas fuir plus haut sans cesser de respirer. Il y a des lamas, des Indiens, des plateaux arides, des neiges éternelles, des villes mortes, des aigles — dans les vallées tropicales errent les chercheurs d'or et des papillons géants.

Schonenbaum avait rêvé de La Paz, capitale de la Bolivie, presque chaque nuit au cours des deux années qu'il avait passées dans le camp de concentration de Torenberg, en Allemagne, et lorsque les troupes américaines vinrent lui ouvrir les portes de ce qui lui apparaissait comme l'autre monde, il lutta pour obtenir son visa bolivien avec cette ténacité que seuls les vrais rêveurs savent mettre dans l'action. Schonenbaum était tailleur de son métier, tailleur à Lodz, en Pologne, héritier d'une grande tradition que cinq générations de tailleurs juifs avaient illustrée. Il vint s'établir à La Paz et, après quelques années de labeur acharné, put s'installer enfin à son propre compte et connut bientôt une prospérité relative sous l'enseigne : « Schonenbaum, tailleur de Paris ». Les commandes affluèrent, et il s'employa bientôt à chercher un aide. Ce n'était pas facile : les Indiens des hauts plateaux des Andes fournissent au monde un nombre étonnamment restreint de « tailleurs de Paris », et la finesse de l'aiguille s'accorde mal avec leurs doigts. Schonenbaum devait passer trop de temps à leur enseigner les rudiments de l'art pour qu'une telle collaboration pût être rentable. Après plusieurs essais, il dut se résigner à demeurer seul, malgré la besogne qui s'accumulait. Mais une rencontre inattendue le tira d'affaire d'une manière dans laquelle il ne put s'empêcher de voir la main de la Providence, qui s'était toujours montrée bienveillante à son égard puisque des trois cent mille de ses coreligionnaires de Lodz il était un des rares survivants.

Schonenbaum habitait sur les hauteurs de la ville, et les convois de lamas passaient dès l'aube sous sa fenêtre. En vertu d'un règlement d'une autorité soucieuse de donner à la capitale une apparence moderne, les rues de La Paz sont interdites à ces bêtes, mais comme celles-ci constituent le seul moyen de transport sur les sentiers et pistes de montagne où les routes se font attendre, le spectacle des lamas quittant à l'aube les environs de la ville sous leur chargement de caisses et de sacs est et restera sans doute encore longtemps familier à tous les visiteurs du pays.

Chaque matin, lorsqu'il prenait le chemin de sa boutique, Schonenbaum rencontrait donc ces convois ; il aimait d'ailleurs beaucoup les lamas, sans trop savoir pourquoi : peut-être simplement parce qu'il n'y avait pas de lamas en Allemagne. Deux ou trois Indiens menaient vers les villages lointains des Andes des caravanes de vingt ou trente bêtes capables de transporter des charges qui représentaient souvent plusieurs fois leur propre poids.

Un jour, le soleil à peine levé, alors qu'il descendait vers La Paz, Schonenbaum croisa un de ces convois dont la vue le faisait toujours sourire avec amitié. Il ralentit et tendit la main pour caresser une bête au passage. Il ne caressait jamais ni chat ni chien, qui abondent en Allemagne, et il n'écoutait jamais les oiseaux qui chantent en Allemagne aussi. Il est certain que son passage dans les camps d'extermination l'avait rendu quelque peu réservé envers les Allemands. Il était en train d'effleurer le flanc de l'animal lorsque son regard s'arrêta sur la figure de l'Indien qui marchait à ses côtés. L'homme trottait pieds nus, un bâton à la main et, au premier abord, Schonenbaum ne lui prêta guère attention : son regard distrait faillit quitter ce visage à tout jamais. C'était un visage jaunâtre, décharné, et d'un aspect érodé et pierreux que des siècles de misère physiologique semblaient avoir façonné. Mais quelque chose de connu, de déjà vu, quelque chose d'effrayant aussi et de cauchemardesque bougea soudain dans le cœur de Schonenbaum et éveilla en lui un émoi extrême alors même que sa mémoire lui refusait encore assistance. Cette bouche édentée, ces grands yeux bruns et doux qui s'ouvraient sur le monde comme une perpétuelle blessure, ce nez triste, et tout cet air de reproche permanent — mi-question, mi-accusation — qui flottait sur la figure de l'homme qui marchait à côté de son lama, se jetèrent littéralement sur le tailleur alors qu'il avait déjà le dos tourné. Il poussa un cri sourd et se retourna.

— Gluckman! hurla-t-il. Que fais-tu là?

Instinctivement, il avait parlé en yiddish, et l'homme ainsi interpellé fit un bond de côté comme si le feu l'eût soudain brûlé. Puis il se mit à courir le long de la route, poursuivi par Schonenbaum qui bondissait derrière lui avec une agilité qu'il ne se connaissait pas, cependant que les lamas, avec leur air hautain, continuaient leur chemin d'un pas mesuré. Il rattrapa l'homme au tournant de la route, lui mit la main sur l'épaule, le força à s'arrêter. Gluckman : aucun doute n'était possible. Il ne s'agissait pas seulement d'une similitude de traits : c'était surtout cet air de souffrance et de muette interrogation qu'il était impossible de ne pas reconnaître. Il se tenait là, coincé, le dos contre la roche rouge, la bouche ouverte sur ses gencives nues.

— C'est toi, hurla Schonenbaum, toujours en yiddish. Je te dis que c'est toi!

Gluckman secoua éperdument la tête.

— Ce n'est pas moi! hurla-t-il en yiddish, lui aussi. Je m'appelle Pedro, je ne te connais pas.

— Et où as-tu appris à parler yiddish? hurla Schonenbaum avec triomphe. Au Kindergarten de La Paz?

La bouche de Gluckman s'ouvrit encore davantage. Il jeta un coup d'œil éperdu vers les lamas, comme pour les appeler au secours. Schonenbaum le lâcha.

— Mais de quoi as-tu peur, malheureux? demanda-t-il. Je suis un ami. Qui essaies-tu de tromper?

— Je m'appelle Pedro! piailla Gluckman d'une voix aiguë et suppliante, toujours en yiddish.

— Complètement *michougué* [1], dit Schonenbaum avec pitié. Ainsi, tu t'appelles Pedro... Et ça...

Il saisit la main de Gluckman et regarda ses doigts : pas un ongle...

— Et ça? C'est les Indiens qui t'ont arraché les ongles avec les racines?

Gluckman se colla plus étroitement encore contre la roche. Sa bouche se ferma lentement, et les larmes se mirent à glisser sur ses joues.

— Tu ne vas pas me dénoncer? bégaya-t-il.

— Te dénoncer? répéta Schonenbaum. Te dénoncer à qui? Te dénoncer pourquoi?

Une compréhension affreuse le saisit brusquement à la gorge. Son front se couvrit de sueur. Il eut peur — une peur abominable, qui peupla soudain toute la terre de périls hideux. Puis il se ressaisit.

— Mais c'est fini! hurla-t-il. C'est fini depuis quinze ans, c'est fini!

Sur le cou long et décharné de Gluckman la pomme d'Adam bougea spasmodiquement, une sorte de rictus malin effleura rapidement son visage et disparut aussitôt.

1. Fou.

— Ils disent toujours ça! Les promesses, moi, je n'y crois pas.

Schonenbaum aspira l'air : on était à cinq mille mètres d'altitude. Mais il savait bien que l'altitude n'y était pour rien.

— Gluckman, dit-il solennellement, tu as toujours été un imbécile, mais tout de même, fais un effort! C'est fini! Il n'y a plus d'Hitler, il n'y a plus de S.S., plus de chambres à gaz, on a même un pays à nous, Israël, on a une armée, une justice, un gouvernement! C'est fini! On n'a plus besoin de se cacher!

— Ha, ha, ha! rit Gluckman, sans aucune trace de gaieté. Ça ne prend pas.

— Qu'est-ce qui ne prend pas? hurla Schonenbaum.

— Israël! déclara Gluckman. Ça n'existe pas.

— Comment, ça n'existe pas? tonna Schonenbaum en tapant du pied. Ça existe! Tu n'as pas lu les journaux?

— Ha! fit Gluckman simplement, d'un air infiniment malin.

— Mais il y a un consul d'Israël à La Paz, ici même! On peut avoir un visa! On peut y aller!

— Ça ne prend pas! affirma Gluckman. C'est encore un truc des Allemands.

Schonenbaum commençait à avoir la chair de poule. Ce qui l'effrayait surtout, c'était l'air malin et supérieur de Gluckman. Et s'il avait raison? pensa-t-il brusquement. Les Allemands étaient parfaitement capables d'un tour de ce genre. Présentez-vous à tel endroit avec des papiers prouvant que vous êtes juif et on vous transportera gratuitement en Israël : on se présente, on se laisse embarquer, et on se retrouve dans un camp d'extermination. Mon Dieu, pensa-t-il, mais qu'est-ce que je suis en train d'imaginer? Il s'essuya le front et essaya de sourire. Il s'aperçut alors que Gluckman parlait, et toujours avec cet air astucieux et renseigné.

— Israël, c'est une ruse pour nous réunir tous ensemble, ceux qui ont réussi à se cacher, puis pour nous gazer... C'est pas bête. Les Allemands savent faire ces choses-là. Ils veulent nous attirer tous là-bas, tous jusqu'au dernier, et puis, d'un seul coup... Je les connais.

— Nous avons un État juif à nous, dit Schonenbaum doucement, comme on s'adresse à un enfant. Le président s'appelle Ben Gourion. Il y a une armée. Nous siégeons aux Nations Unies. C'est fini, je te dis.

— Ça ne prend pas, déclara Gluckman.

Schonenbaum lui passa le bras autour des épaules.

— Viens, dit-il. Tu vas habiter chez moi. Nous irons voir un médecin.

Il mit deux jours à s'orienter dans les propos incohérents de la victime : depuis sa libération, qu'il attribuait à un désaccord temporaire entre les antisémites, Gluckman se cachait dans les hauts plateaux des Andes, persuadé que les choses allaient rentrer dans l'ordre d'un moment à l'autre, mais qu'en se faisant passer pour un caravanier de la Sierra, il parviendrait peut-être à échapper à la Gestapo. Chaque fois que Schonenbaum essayait de lui expliquer qu'il n'y avait plus de Gestapo, que Hitler était mort, l'Allemagne occupée, il se bornait à hausser les épaules et à prendre un air malin : il savait mieux, il n'allait pas se laisser attirer dans un piège ; et lorsque à bout d'arguments Schonenbaum lui montrait des photos d'Israël, de ses écoles, de son armée, de ses jeunes gens confiants et décidés, Gluckman entonnait soudain une prière pour les morts : il pleurait ces victimes innocentes qu'une ruse de l'ennemi était parvenue à grouper ensemble, ce qui allait rendre leur extermination plus facile, comme au temps du ghetto de Varsovie.

Qu'il fût faible d'esprit, Schonenbaum le savait depuis longtemps ; plus exactement, sa raison avait résisté moins bien que son corps aux sévices sans nom qu'il avait subis. Au camp, il avait été la victime préférée du Hauptmann Schultze, commandant des S.S., une brute sadique soigneusement choisie par les autorités et qui sut se montrer entièrement à la hauteur de la confiance qu'on lui avait témoignée. Pour quelque raison mystérieuse, il avait fait du malheureux Gluckman son souffre-douleur, et personne parmi les détenus, pourtant connaisseurs en la matière, n'imaginait que Gluckman pût sortir vivant de ses mains. Il était, comme Schonenbaum, tailleur de son métier. Bien que ses doigts eussent perdu quelque peu l'habitude de manier l'aiguille, il retrouva rapidement assez d'agilité pour se remettre au travail, et la boutique « Tailleur de Paris » put enfin faire face aux commandes qui affluaient. Gluckman ne parlait jamais à personne, travaillait dans un coin sombre, par terre derrière le comptoir, dérobé aux regards des visiteurs, ne sortant que la nuit, pour aller rendre visite aux lamas dont il caressait longuement et tendrement les flancs au poil dur, et toujours dans son regard brûlait la lueur d'une atroce compréhension, d'une totale connaissance qu'un sourire rusé et supérieur qui glissait rapidement sur ses lèvres venait parfois souligner. A deux reprises, il avait tenté de s'enfuir : la première fois lorsque Schonenbaum avait remarqué en passant que ce jour-là correspondait au seizième anniversaire de la chute de l'Allemagne hitlérienne, et la deuxième fois lorsqu'un Indien ivre s'était mis à hurler dans la rue qu'un « grand chef allait descendre de la montagne et prendre les choses en main ».

Ce fut seulement six mois après leur rencontre, au cours de la semaine de Yom Kippour, qu'un changement perceptible parut s'opérer enfin en Gluckman. Il donnait l'impression d'être plus sûr de lui, presque serein, comme délivré. Il ne se cachait plus pour travailler et, un matin, en entrant dans la boutique, Schonenbaum entendit quelque chose d'à peine croyable : Gluckman chantait. Plus exactement, il marmonnait à voix basse un vieil air juif des confins de la Russie. Il jeta un coup d'œil rapide à son ami, porta le fil à ses lèvres, le mouilla, enfila l'aiguille et continua à marmonner son vieil air triste et tendre. Schonenbaum eut un moment d'espoir : peut-être le souvenir atroce qui vivait dans la tête de la victime était-il enfin en train de s'effacer. D'habitude, après le dîner, Gluckman allait immédiatement se coucher sur le matelas qu'il avait installé dans l'arrière-boutique. Il dormait d'ailleurs très peu, demeurant de longues heures recroquevillé dans son coin, fixant le mur d'un regard halluciné qui communiquait une qualité de terreur aux objets les plus familiers et faisait de chaque bruit un cri d'agonie. Mais un soir, après la fermeture, en revenant à l'improviste dans le magasin pour y chercher une clef oubliée, Schonenbaum surprit son ami en train de ranger furtivement un repas froid dans un panier. Le tailleur trouva sa clef et sortit, mais au lieu de rentrer chez lui, il attendit dans la rue, dissimulé sous une porte cochère. Il vit alors Gluckman se glisser dehors, le panier de victuailles sous le bras et s'enfoncer dans la nuit. Schonenbaum s'aperçut que son ami s'absentait ainsi tous les soirs, toujours avec le panier de victuailles sous le bras, et lorsqu'il revenait, un peu plus tard, le panier était vide, et son visage avait un air malin et satisfait, comme s'il venait de faire une excellente affaire. Le tailleur fut très tenté de demander à son assistant quel était le but de ces expéditions nocturnes, mais connaissant sa nature renfermée et craignant de lui faire peur, il jugea préférable de ne pas lui poser de questions. Il fit patiemment le guet dans la rue après le travail, et lorsqu'il vit une silhouette furtive sortir du magasin et se faufiler vers sa mystérieuse destination, il la suivit.

Gluckman marchait rapidement, en rasant les murs, revenant parfois sur ses pas, comme s'il cherchait à déjouer quelque poursuite éventuelle. Toutes ces précautions portèrent la curiosité du tailleur à son paroxysme. Il bondissait de porte cochère en porte cochère, se dissimulant chaque fois que son assistant se retournait. La nuit était tombée et à plusieurs reprises Schonenbaum faillit perdre la trace de son ami. Malgré sa corpulence et un cœur un peu fatigué, il parvint cependant chaque fois à le rattraper. Finalement, Gluckman s'engagea dans une cour de la rue de la Révolution. Le tailleur attendit un moment, puis courut sur la pointe des pieds derrière lui. Il se trouva dans une des cours des caravaniers du grand marché de l'Estuncion, d'où les lamas partent chaque matin avec leur chargement vers la montagne. Des Indiens dormaient par terre sur de la paille dans une odeur de crottin. Les lamas dressaient leurs longs cous parmi les caisses et les étalages. Une deuxième sortie, en face, s'ouvrait sur une ruelle étroite faiblement éclairée. Gluckman avait disparu. Le tailleur attendit un moment, puis haussa les épaules et s'apprêta à rebrousser chemin. Dans son intention de brouiller sa piste, Gluckman avait choisi le parcours le plus long. Schonenbaum décida de rentrer directement chez lui en traversant le marché.

Il venait à peine de s'engager dans l'étroit passage qui y menait lorsque son attention fut attirée par la lueur d'une lampe à acétylène qui filtrait à travers le soupirail d'une cave. Il jeta un regard distrait vers la lumière et vit Gluckman. Celui-ci se tenait devant une table et, sortant les victuailles de son panier, il les disposait devant quelqu'un qui tournait le dos au soupirail, assis sur un tabouret. Gluckman mit ainsi sur la table un saucisson, une bouteille de bière, des piments rouges et du pain. L'homme, dont Schonenbaum ne voyait toujours pas le visage, lui dit quelques mots et Gluckman fouilla vite dans le panier, trouva un cigare et le déposa sur la nappe. Le tailleur dut faire un effort pour détacher son regard du visage de son ami : celui-ci était effrayant. Il souriait. Mais les yeux agrandis, fixes, brûlants, donnaient à ce sourire étrangement triomphant quelque chose de démentiel. A ce moment, l'homme tourna la tête et Schonenbaum reconnut le S.S. Schultze, le tortionnaire du camp de Torenberg. L'espace d'une seconde, le tailleur s'accrocha à l'espoir qu'il était peut-être victime d'une hallucination, ou qu'il avait mal vu ; s'il y avait cependant visage qu'il ne risquait guère d'oublier, c'était bien celui du monstre. Il se rappela que Schultze avait disparu après la guerre ; on le disait tantôt mort, tantôt vivant caché en Amérique du Sud. A présent, il le voyait devant lui : un mufle arrogant et lourd sous des cheveux coupés en brosse, un sourire moqueur aux lèvres. Mais il y avait là quelque chose de plus effrayant encore que la présence du monstre : c'était celle de Gluckman. Par quelle effarante aberration pouvait-il se trouver là, devant celui dont il avait été la victime préférée, celui qui s'était acharné sur lui avec une telle prédilection pendant plus d'un an — quel était le mécanisme de la folie qui le poussait à venir ainsi nourrir son tortionnaire chaque soir, au lieu de le tuer ou de le livrer à la police ? Schonenbaum sentit que son esprit se brouillait : ce qu'il voyait dépassait dans son horreur toutes les limites du tolérable. Il essaya de hurler, d'appeler au secours, d'ameuter la population, mais tout ce qu'il fit fut d'ouvrir la bouche et d'agiter les bras : sa voix refusa de lui obéir et il resta là, à regarder, les yeux exorbités, la victime qui était en train d'ouvrir la bouteille de bière et de remplir le verre du bourreau. Il dut demeurer ainsi un bon moment dans une inconscience totale : l'absurdité de la scène qui se déroulait devant ses yeux finissait par lui enlever toute réalité. Ce fut seulement lorsqu'il entendit une exclamation étouffée à côté de lui qu'il parvint à se ressaisir : dans le clair de lune, il vit Gluckman. Les deux hommes se regardèrent un instant, l'un avec une incompréhension indignée, l'autre avec un sourire rusé et presque cruel sur un visage où les yeux brûlaient de tous les feux de quelque triomphale folie. Puis Schonenbaum entendit sa propre voix : il eut de la peine à la reconnaître.

— Il t'a torturé tous les jours pendant plus d'un an ! Il t'a martyrisé, il t'a crucifié ! Et au lieu d'appeler la police, tu lui apportes à manger tous les soirs ? Est-ce possible ? Est-ce que je rêve ? Comment peux-tu faire ça ?

Sur le visage de la victime, l'expression de ruse profonde s'accentua, et du fond des âges s'éleva une voix millénaire qui fit dresser les cheveux sur la tête du tailleur et figea son cœur :

— *Il m'a promis d'être plus gentil la prochaine fois !*

Gloire à nos illustres pionniers

L'aérodrome de East Hampton, Conn., était pavoisé aux couleurs du monde libre et il était difficile de ne pas se sentir ému par ce frisson victorieux qui courait dans le ciel et paraissait vibrer de toute la fierté et de toute la joie d'une humanité qui avait vraiment fait de son mieux. Portés dans les airs par d'immenses ballons en baudruche, tracés par des avions en lettres de fumée blanche dans l'azur, flottant au gré du vent au sommet des mâts, les slogans de bienvenue et d'encouragement, véritables cris de confiance et de ferveur patriotique, prodiguaient aux pionniers de la nouvelle frontière humaine leur réconfort chaleureux ; leur foisonnement était particulièrement serré tout le long de la Voie Triomphale et autour de la tribune d'honneur dressée sur la belle plage de sable blanc. « GLOIRE A NOS ILLUSTRES PIONNIERS », « NOUS SOMMES FIERS DE VOUS », « EN AVANT VERS DES CONQUÊTES PACIFIQUES NOUVELLES », « NOUS VOUS SUIVRONS », « LA SCIENCE GUIDE NOS PAS », « CHANGEONS LA VIE », « PLUS DE LIMITES A L'HOMME » — on avait beau savoir qu'il s'agissait d'une cérémonie officielle destinée à raffermir les cœurs et à élever le moral de la population au moment où ses enfants allaient se lancer dans la grande aventure, il était tout de même bon de sentir, en ces heures difficiles, avec quelle unanimité et avec quel optimisme un grand pays se tenait à vos côtés.

La foule avait envahi l'aérodrome dès l'aube ; l'avion présidentiel avait du retard et était attendu d'un moment à l'autre. Les marchands de poisson, de vers, de mouches avaient dressé partout leurs étalages et des piscines portatives avaient été installées en bordure du terrain. Depuis les derniers grands matches de base-ball auxquels il avait assisté dans sa jeunesse et dont il conservait un souvenir merveilleux, Horace McClurr n'avait jamais vu une foule pareille : même en se dressant de toute sa hauteur sur la tribune et en tendant le cou, il n'en voyait pas la fin. Leurs familles avaient naturellement tenu à accompagner les pionniers à la base de départ, mais Edna avait dû rester à la maison : son organisme venait d'être soumis à une rude épreuve et le médecin lui avait conseillé d'éviter les nouvelles émotions. Horace McClurr soupira : il était très attaché à sa femme. Mais tout paraissait indiquer qu'elle était en train d'évoluer dans le même sens que lui-même, un peu plus lentement, peut-être — Edna avait toujours été un peu indolente — et que leur séparation n'était donc que provisoire. Il ne s'agissait, du reste, nullement d'une émigration définitive — la manifestation avait surtout un caractère symbolique — et rien n'empêchait les familles, du moins dans un avenir immédiat, de se réunir chaque matin au bord de l'eau, prier ensemble et se réconforter mutuellement. Horace McClurr avait éprouvé des sentiments assez contradictoires lorsqu'il avait appris qu'on l'avait jugé digne de figurer à la tête de l'échelon précurseur, avec les éléments les plus avancés de la nation : une certaine fierté, évidemment, mais aussi un grand désarroi, et malgré l'entraînement intensif qu'il avait suivi au Centre de Rééducation où l'on aidait les pionniers à s'adapter aux conditions psychologiques nouvelles, il était la plupart du temps plongé dans une sorte d'ahurissement sans bornes qu'il n'essayait même plus de cacher.

Il faisait très chaud. Horace McClurr tenait fermement son fils par les jambes : le petit s'était installé confortablement sur son dos pour mieux voir. Lorsque l'impression familière d'étouffement revenait et, avec elle, une angoisse qui tournait rapidement à la panique, Horace McClurr quittait la tribune, se frayait un chemin jusqu'à la piscine la plus proche et s'y plongeait avec Billy ; c'était délicieux et excellent pour les nerfs, mais les piscines étaient trop petites et bourrées de monde : on n'arrivait pas à les fabriquer assez vite pour satisfaire les besoins grandissants de la population. On ne pouvait pourtant pas dire que les fabricants ne faisaient pas de leur mieux : les usines travaillaient jour et nuit, puisque c'était littéralement, pour le pays, une question de vie ou de mort. Mais les choses avaient marché beaucoup plus vite qu'on ne l'avait prévu — toujours le processus accéléré de l'Histoire — et à présent, il y avait un sérieux retard à rattraper. On disait que les Russes étaient beaucoup mieux équipés et avaient pris une avance considérable dans cette course contre la montre : si on devait attacher foi à leurs statistiques, il y avait déjà chez eux une piscine par cinquante habitants. Il y avait des moments où Horace McClurr se sentait vraiment inquiet ; il espérait qu'on n'allait pas recommencer les erreurs passées, les Russes avaient déjà été les premiers dans l'espace, et voilà qu'à présent ils dépassaient le monde libre dans la fabrication de produits de première nécessité. En général, il lui suffisait cependant de se plonger dans la piscine pour sentir son angoisse disparaître immédiatement et pour qu'un sentiment de bien-être lui succédât, une sorte d'euphorie physique qui mettait fin à toutes ses préoccupations. Mais là aussi, il y avait un problème : il ne pouvait rester sous l'eau qu'une demi-heure environ, au-delà, l'angoisse revenait et il commençait à étouffer. Il ne savait plus très bien où il en était. La vie devenait singulièrement compliquée, mais, ainsi qu'il l'avait lui-même dit dans son discours d'adieu à ses collaborateurs, lorsqu'il avait démissionné de ses fonctions de secrétaire d'État à la Défense, il fallait tenir bon et ne pas se laisser aller au doute et au découragement. Son fils, par exemple, était déjà parfaitement à l'aise sous l'eau : à la maison, il n'y avait pratiquement pas moyen de le tirer de la piscine familiale. Horace McClurr se fraya donc une fois de plus un chemin jusqu'à la piscine mise à la disposition des pionniers et y passa vingt minutes fort agréables. Lorsqu'il en sortit, malgré les protestations de Billy, il se trouva brusquement à côté de Stanley Jenkins qui était là avec toute sa famille. Il lui fit un petit signe amical et fila aussi rapidement qu'il le put. Les Jenkins étaient leurs voisins, mais les rapports entre les deux familles, autrefois excellents, s'étaient gâtés quelque peu ces temps derniers. Pas plus tard que la veille, par exemple, alors que Horace McClurr se prélassait sur le gazon, Mrs. Jenkins avait mordu sa femme. Ce n'était évidemment pas sa faute, la pauvre, et son mari était venu s'excuser immédiatement, mais c'était tout de même très gênant et bien triste. D'autant plus qu'Edna était en train de muer et que sa peau était particulièrement sensible ; Mr. Jenkins aurait tout de même dû faire attention et surveiller un peu mieux sa femme ou la garder attachée. Il avait formellement interdit à Billy de jouer avec leur fils, mais le petit ne l'écoutait pas du tout. Jenkins Jr. était naturellement là, enroulé autour de son père, et Billy commença ausitôt à s'agiter.

— Papa, laisse-moi descendre. Je veux aller jouer avec Budd.

— Tu ne peux pas aller jouer avec lui, Billy. Je te l'ai déjà dit vingt fois.

— Pourquoi ?

— Tu sais bien qu'il est venimeux. La dernière fois, quand il t'a piqué, tu es resté huit jours au lit.

— Il ne l'a pas fait exprès.

— Sans doute, mais il faut être prudent. Il

faut que tu trouves des camarades de jeu qui te ressemblent...

Un avion descendit du ciel et Horace McClurr regagna précipitamment la tribune. Lorsqu'il reprit sa place, l'avion s'était déjà immobilisé et les personnalités officielles se dirigeaient vers la Voie Triomphale. Le président des États-Unis marchait à leur tête et Horace McClurr sentit son cœur battre plus vite : il eut même l'impression que son sang se réchauffait, ce qui avait toujours l'inconvénient de lui donner le vertige, mais cette sensation de chaleur avait néanmoins quelque chose d'encourageant et même d'émouvant. Le président, un homme assez jeune, venait d'être élu par la nation à une majorité considérable, beaucoup plus en raison de son apparence physique que de son programme politique : il avait deux bras, deux jambes, un visage où le nez, les yeux, la bouche occupaient exactement la même place qu'à l'époque de la stagnation biologique, mais c'était surtout la peau qui éveillait dans la population une espèce d'attendrissement nostalgique et avait assuré son élection. Le discours allait commencer. L'orchestre militaire joua l'hymne national. Tout le monde se leva. Horace McClurr se découvrit, pressa son chapeau contre son cœur et se leva aussi, au prix d'un effort considérable : il traînait plus de cent kilos sur le dos.

— Papa, cria Billy, qui c'est ? Qu'est-ce qu'il dit ? Pourquoi qu'on est là ?

Horace McClurr soupira : les enfants étaient élevés dans une ignorance à peu près totale de l'histoire de leur pays. Il se promit d'aller voir le directeur de l'Aquarium et de lui en toucher un mot. Les jeunes générations étaient appelées à vivre dans un monde très différent de celui que leurs parents avaient connu et il était essentiel de leur inculquer certaines notions élémentaires hors desquelles il ne saurait y avoir de vie humaine digne de ce nom.

— Eh bien, Billy, tu vois ce monsieur qui se tient debout sur ses jambes et qui a deux bras et un visage mou comme sur les images des livres d'histoire qu'on te montre à l'école ? C'est le président des États-Unis. Jadis tous les hommes lui ressemblaient — mais les savants ont fait des découvertes importantes et, grâce aux radiations bienfaisantes qui ont fécondé l'atmosphère et l'écorce terrestre, l'espèce humaine est sortie de sa période de stagnation biologique, l'évolution accélérée lui a fait faire plusieurs bonds en avant — on appelle ça mutations — ce qui nous a permis de changer, de nous diversifier et de prendre des formes nouvelles...

— Papa, j'ai faim.

Horace McClurr se rendait compte avec mélancolie que tout ce qu'il disait n'avait aucun sens pour Billy, non seulement parce qu'il n'avait que dix ans et qu'on ne lui apprenait rien à l'Aquarium, mais surtout parce qu'il appartenait à une génération qui avait évolué si vite — toujours le processus accéléré de l'Histoire — que l'on avait vraiment le plus grand mal à communiquer avec elle.

— Papa, j'ai faim !

Horace McClurr fouilla dans sa poche et trouva un petit paquet de viande crue que sa femme lui avait préparé.

— Je veux des mouches, dit Billy.

Horace McClurr soupira. Il n'était jamais parvenu entièrement à se faire à l'idée que son fils se nourrissait de mouches. Il n'y avait là évidemment rien d'extraordinaire, mais Horace, il le reconnaissait lui-même, avait encore un certain nombre d'idées toutes faites et de préjugés dont il n'arrivait pas à se débarrasser. C'est ainsi, par exemple, qu'il s'obstinait à porter un pantalon et un veston et même des espèces de souliers et un chapeau, ce qui le gênait terriblement et lui donnait une allure excentrique dont il était très conscient. Mais le fait était qu'il se sentait moins angoissé lorsqu'il portait un pantalon et son conseiller psychologique lui avait recommandé formellement de le conserver aussi longtemps qu'il le pourrait, du moins tant qu'il persisterait à vouloir se regarder dans les glaces, une habitude morbide et à tous égards pénible dont le praticien n'arrivait pas à le guérir et qui l'avait à plusieurs reprises mené au bord de la dépression nerveuse. Il s'approcha de l'étalage d'un marchand ambulant et acheta un cornet de mouches. Billy s'en empara aussitôt. Horace McClurr commençait à avoir faim lui-même il n'avait rien mangé depuis la veille. Mais il n'aimait pas manger en public : il avait un peu honte. Son régime alimentaire devenait assez compliqué. C'était cela l'inconvénient d'avoir un organisme en pleine évolution et de se trouver à la pointe d'une époque biologique accélérée. Il avait dû renoncer à certains de ses aliment préférés qu'il n'arrivait plus à assimiler mais dont il conservait une vague nostalgie. Horace McClurr n'était pas à proprement parler un conservateur, mais il avait tout de même le sentiment confus que les choses allaient un peu trop rapidement. Encore pouvait-il s'estimer heureux : lorsqu'il pensait au mode d'alimentation de certains autres pionniers présents à la tribune, il avait la chair de poule. On avait payé cher les bienfaits de la science, mais enfin cela valait la peine. Il ne fallait surtout pas se laisser aller au pessimisme et penser en termes négatifs. Il était d'ailleurs bon de se rappeler qu'il y avait de cela deux générations à peine, au début de l'ère atomique, alors que l'Amérique et la Russie tâtonnaient encore au point de vue scientifique et faisaient exploser des bombes de cent mégatonnes à peine, on avait craint que l'espèce humaine ne s'enlisât dans l'uniformité et l'anonymat. On était vraiment loin du compte. Une prodigieuse individualisation était, au contraire, intervenue. On pouvait même dire que personne ne ressemblait plus à personne. Il n'y avait qu'à regarder les autres pionniers présents à la tribune qui écoutaient attentivement le discours du Président, avant de s'élancer sur la Voie Triomphale qu'il allait inaugurer, pour constater quelle bouleversante variété attendait l'espèce humaine posée au bord d'un monde nouveau : Stanley Kubalik, par exemple, avec son anus protubérant de dix centimètres et ses belles pinces roses, ou le pasteur Bickford, avec ses six bras et son tube digestif apparent, ou Mathew Wilbeforce, avec ses écailles vertes, pour se sentir tout à fait rassuré. Il y avait même ceux qui prétendaient que si les mutations continuaient au rythme des dix dernières années et même uniquement sous la poussée de radiations déjà acquises, il ne resterait plus de l'espèce traditionnelle qu'un vestiaire abandonné et que l'humanité, dans le bourgeonnement triomphal de ses formes nouvelles, allait rentrer sous terre, sous l'eau, s'envoler dans les airs ou grimper sur les arbres où l'attendaient déjà des éléments avancés, ce qui créerait évidemment une situation pleine de périls pour l'Occident, puisque les armements conventionnels deviendraient complètement périmés. Les journaux disaient que les Chinois travaillaient déjà d'arrache-pied à adapter leur matériel militaire aux formes biologiques nouvelles. Tout le monde s'attendait du reste que le Président abordât ce sujet dans son discours inaugural. Horace McClurr soupira. Tout cela était bien difficile. Il avait fait de son mieux pour faire face à ce problème lorsqu'il était secrétaire d'État à la Défense, mais on l'avait beaucoup critiqué, on l'avait accusé de lenteur ; pourtant, personne ne pouvait dire que son successeur avait réussi mieux que lui. Il était certain que l'évolution posait aux États-Unis des problèmes terribles par la rapidité avec laquelle elle se manifestait — elle ne vous laissait pas le temps de vous adapter et vous poussait implacablement en avant — et à présent que la différenciation venait compliquer les choses, il y avait parfois vraiment de quoi perdre la tête. Si encore les familles évoluaient harmonieusement ensemble dans la même direction, on aurait pu sauvegarder les valeurs américaines essentielles, tout en se transformant, puisqu'il était vain de vouloir préserver des modes de vie condamnés par le progrès, mais il devenait de plus en plus clair que la différenciation se manifestait parfois impitoyablement au sein d'une même famille et, sans ajouter foi aux rumeurs alarmistes, il était de notoriété publique, malgré la censure, que certains couples ne pouvaient plus avoir de rapports sexuels normaux et étaient obligés de faire appel à des partenaires vraiment incroyables afin d'aider l'évolution à tourner le cap et de permettre à l'espèce humaine de continuer malgré tout, sous une forme ou une autre. Horace McClurr avait lui-même assisté au conflit tragique qui avait opposé dans la famille de sa cousine Bette les parents et les enfants, ces derniers refusant parfois de descendre des arbres pendant des semaines entières et scandalisant tout le voisinage par leur refus de couvrir certaines parties honteuses de leur individu, devenues sous la poussée évolutive d'un rouge écarlate, et le pasteur avait refusé de les admettre à l'église, parce qu'ils s'obstinaient à tenir leur livre de prières avec leur queue, ce qui avait choqué la congrégation, bien qu'il y eût des voix pour proclamer tout justement que peu importait de savoir où ils mettaient le livre, pourvu qu'ils l'emportent avec eux dans les arbres. Horace McClurr, au temps où il exerçait ses fonctions, n'avait jamais cessé de mettre la population en garde contre les rumeurs faussement rassurantes qui circulaient, afin d'empêcher l'opinion publique américaine de s'assoupir dans une bonne quiétude et d'oublier le péril qui la guettait. On disait, par exemple, qu'en Russie soviétique le processus évolutif était plus rapide que dans le monde libre et qu'un bon tiers de soldats russes étaient déjà devenus des espèces d'écrevisses et ne pouvaient donc plus utiliser l'armement existant et que les armes nouvelles, tenant compte de ce changement, n'étaient pas encore au point, ce qui permettait au camp des démocraties de souffler un peu et de réadapter son potentiel militaire aux structures biologiques nouvelles sans pression extérieure et à tête reposée.

— Papa, je veux encore des mouches, dit Billy.

— Tu en as assez mangé. Tu vas te rendre malade. Laisse-moi écouter. C'est important.

Le Président en était en effet au point le plus grave de son discours. L'année qui commençait, disait-il, allait sans doute être décisive. La force de frappe américaine était certes intacte et ne le cédait en rien à la force de frappe russe. Mais il ne fallait pas se dissimuler le fait que sous la pression accélérée des facteurs évolutionnaires, cet armement risquait fort de devenir inutile : le matériel humain devenait rapidement périmé. Les moyens de destruction avaient atteint un point de perfection qu'ils n'avaient jamais connu, mais ceux qui devaient les manier changeaient si rapidement de caractères physiques que la marge de sécurité de la nation s'amenuisait presque journellement.

Il fallait le dire franchement : nombreuses étaient les voix qui conseillaient de frapper l'ennemi sans attendre, tant que l'espèce conservait encore pour l'essentiel son caractère conventionnel, tant qu'elle possédait des mains capables de manier les engins perfectionnés et une intelligence en mesure de concevoir, d'entreprendre et de mener à bien une telle opération, mais il y avait aussi ceux qui espéraient qu'avec la disparition des mains et de l'intelligence, il serait peut-être possible d'éviter le conflit. Horace McClurr éprouva soudain une sensation étrange : il avait l'impression que tout cela ne le regardait plus. Les paroles du Président, dont il avait au début perçu si clairement le sens et qui répondaient tellement à ses préoccupations, avaient à présent tendance à se fondre en une succession de sons certes familiers, mais dont il n'arrivait plus à distinguer clairement le fil. Peut-être était-il resté trop longtemps en plein air : la sensation d'étouffement revenait et, avec elle, une angoisse grandissante, voisine de la panique. Au fond, tout ce qu'il demandait, à présent, c'était qu'on le laissât tranquille, qu'on lui permît de demeurer paisiblement au fond de la piscine familiale, avec les siens — pour le reste, c'était la responsabilité du gouvernement de veiller à l'intégrité de la nouvelle frontière du monde libre, et la tâche des éducateurs était de veiller à ce que la jeunesse américaine ne se couvrît pas entièrement d'écailles avant de s'être pénétrée de principes indispensables à la survie des institutions démocratiques dans le nouvel élément. Horace McClurr se demandait avec abattement quel était son élément, au juste. Il lui restait un certain attachement pour les fleurs, la lumière et l'air de ses ancêtres. D'un autre côté, il ne se sentait vraiment à l'aise que lorsqu'il avait un peu de vase fraîche sous le ventre, et il adorait nager. Son psychiatre faisait tout ce qu'il pouvait pour l'aider à s'adapter, mais son caractère ambivalent semblait vouloir persister et il y avait des moments où il se sentait complètement désorienté. A la tête du Département de la Défense, il s'était entouré de savants dont les travaux sur l'effet des radiations sur les gènes faisaient autorité, et ses anciens collaborateurs devaient souvent lui rendre visite au Centre de rééducation où les pionniers recevaient un entraînement psychologique intensif; ils prétendaient tous qu'il s'agissait d'une période transitoire et qu'une fois passé le cap de ce qu'ils appelaient « l'hésitation biologique », il allait se sentir tout à fait à l'aise dans son nouvel élément. Mais il n'en était pas tellement sûr. Il avait de véritables crises de terreur lorsqu'on le faisait sortir de la piscine et qu'il se retrouvait à l'air libre, et des terreurs non moins épouvantables lorsqu'on le laissait trop longtemps au fond de l'eau. Il se mettait dans des colères violentes lorsque son psychiatre ou ses amis prétendaient que son aspect physique n'avait rien de dégoûtant; il savait parfaitement à quoi s'en tenir. Il avait honte de sa tête ridée, de ses yeux figés et ronds, et il lui arrivait de rentrer la tête sous sa carapace et de refuser de manger et de boire. Il avait surtout horreur qu'on parlât à son propos de martyrs de la science comme le Président était justement en train de le faire, et il l'entendait même citer distinctement son nom, en parlant de « mon cher ami Horace McClurr, le grand serviteur de notre pays ». Tout ce qu'il leur demandait, c'était de l'oublier, de le laisser tranquille, de ne pas appeler sur lui l'attention. Au début, il avait même craint qu'en raison de son apparence physique on ne le fît comparaître devant la commission d'enquête sur les activités anti-américaines; il se souvenait parfaitement que lorsqu'il en avait parlé pour la première fois à sa femme, celle-ci avait passé la nuit à sangloter et, le matin, les ennuis avaient commencé. Il avait en tout cas tenu à se démettre immédiatement de ses fonctions et avait insisté pour être reçu sans délai à la Maison-Blanche. Le Président avait sans doute été prévenu parce qu'il n'avait manifesté aucune surprise devant son aspect physique. Horace McClurr lui exposa la situation calmement et avec dignité : il ne pouvait plus demeurer au gouvernement, il ne se considérait plus comme représentatif du peuple américain au stade actuel de son évolution et venait donc offrir sa démission. Il n'entendait faire aucun testament politique, il voulait laisser les mains libres à son successeur et faisait entièrement confiance au Président. Mais il se permettait tout de même de formuler un vœu : étant donné la rapidité effrayante avec laquelle le matériel humain conventionnel se démodait, il y avait une décision capitale à prendre, si on ne voulait pas que l'équilibre des forces ne se modifiât d'une manière catastrophique et irrémédiable au profit des Russes. Certes, ceux-ci évoluaient dans le même sens que nous, mais ils étaient parfaitement capables de déclencher une attaque surprise pendant que leur potentiel humain conventionnel demeurait encore adapté aux armes existantes... Qu'on le comprît bien : il ne prônait nullement la guerre préventive, il demandait simplement qu'on envisageât le pire et renforçât au maximum le dispositif de sécurité, tant que l'intelligence, le cerveau et les mains humaines étaient encore utilisables... Le Président avait paru très troublé; il avait saisi le téléphone d'une main tremblante et avait convoqué ses collaborateurs; il leur avait demandé la plus grande discrétion et avait ensuite prié son secrétaire d'État à la Défense de leur répéter ce qu'il venait de lui dire. Horace McClurr exposa une fois de plus, très calmement, sa position. Ils l'avaient écouté en silence, regardant leur collègue avec une consternation qu'ils n'essayaient même pas de cacher.

— En tout cas, avait conclu Horace McClurr, je me vois obligé, Monsieur le Président, à mon grand regret, de vous présenter ma démission, en vous priant de bien vouloir l'accepter immédiatement. Sous mon apparence physique actuelle, je ne saurais me considérer comme représentatif du peuple américain dans ce qu'il a de dynamique et de résolu. Une tortue, Monsieur le Président — oh! je vous en prie, regardons les choses en face — ne peut demeurer à la tête du Département de la Défense des États-Unis à un moment crucial de l'histoire du pays, où tout doit être mis en œuvre pour gagner la course aux armements si nous voulons préserver nos libertés. Un dernier mot, Monsieur le Président. Dans votre fameux discours inaugural, vous avez parlé de la nouvelle frontière américaine qui attendait ses pionniers. Puisque le destin semble m'avoir choisi pour figurer parmi eux, je tiens à vous affirmer ceci : que nos corps soient couverts d'écailles, de fourrure ou de plumes, nos forces aériennes, terrestres et maritimes défendront partout nos nouvelles frontières avec une implacable résolution. Il importe avant tout que les États-Unis prennent pied dans le nouvel élément avant les Russes, au lieu d'avoir à les en déloger par la suite...

Le Président et ses collaborateurs l'écoutèrent en silence et lorsqu'il se leva pour prendre congé, ils l'entourèrent, les larmes aux yeux, et ils lui serrèrent longuement la main et le Président lui dit qu'il était un grand serviteur du pays et un gr nd Américain et qu'il devait ménager ses forces et ne pas se surmener et qu'il ne devait pas s'inquiéter, les Russes avaient eux-mêmes de grosses difficultés...

— Je ne sais pas si vous savez, demanda alors Horace McClurr, que des bancs de crevettes roses, s'étendant sur plusieurs kilomètres, ont fait leur apparition au large de la Floride ?

Le Président parut interloqué. Non, non, il ne le savait pas, les services spéciaux ne lui ont rien dit, il allait se renseigner...

Et que l'on avait pêché hier, en Californie — oui, dans les eaux territoriales américaines — un poisson d'une espèce jamais vue auparavant ? Il était indispensable de le faire interroger immédiatement par le F.B.I...

Horace McClurr eut soudain l'impression qu'il en avait assez dit et qu'il avait vraiment troublé le Président — celui-ci était devenu très pâle — et il se dirigea vers la porte, la tête haute. Il avait tenu à se dresser verticalement sur ses pattes de derrière et à effectuer une sortie digne et même nonchalante, malgré le poids écrasant qu'il traînait sur son dos — et cette fois, ce n'était pas seulement le poids de ses responsabilités. Le Président l'accompagna jusqu'à l'escalier et le fit ramener chez lui dans sa propre voiture; Horace McClurr trouva Edna à la maison, tout en larmes, elle avait évidemment quelque mal à s'adapter à la situation. Depuis, il avait suivi dans un établissement spécial l'entraînement que l'on faisait subir aux pionniers de la nouvelle frontière américaine, et à présent il se tenait sur la ligne de départ, parmi ses compagnons d'aventure, écoutant le Président qui était en train de finir son discours sur une envolée superbe.

— Lorsque vos ancêtres ont quitté le pont du *Mayflower* et pris pied sur le continent américain, même les plus hardis parmi eux ne pouvaient imaginer quelle prodigieuse étape de l'histoire humaine allait commencer, quelle ère d'explorations, de conquêtes et de construction s'ouvrait devant eux... Eh bien, l'aventure qui vous attend est plus prodigieuse encore... Vous allez assurer la survie, la pérennité, la victoire définitive au fond des eaux des valeurs morales et spirituelles que nos ancêtres vous ont léguées. En avant, héros de la nouvelle frontière humaine! GLOIRE A NOS ILLUSTRES PIONNIERS!

Une clameur immense monta de la foule et l'hymne national retentit, cependant que le Président faisait un pas en avant et coupait le ruban tendu en travers de la Voie Triomphale. Un frémissement parcourut les pionniers; il y eut un mouvement général de pattes, de pinces, d'antennes, de tentacules, de queues, de nageoires et Horace McClurr, bousculé de toutes parts, rentra d'abord instinctivement la tête sous sa carapace, puis tendit le cou et donna ses dernières instructions à Billy.

— Reste près de moi, Billy. Quand on sera dans l'eau, ne t'éloigne pas trop. Surtout, ne t'enfonce pas dans la vase. Reste là où il y a du sable. Rappelle-toi ce qu'on t'a appris à l'Aquarium, mon petit. Sois prudent, ça ne va pas être commode, au début.

— En avant, vous tous qui emportez avec vous l'espoir et la foi de notre civilisation! Haut les cœurs! Ne doutez pas! Rappelez-vous que la science guide vos pas et que si le génie de notre espèce est soumis à des épreuves cruelles, il en sortira une fois de plus vainqueur, et que les ennemis de l'homme le trouveront au fond de l'Océan, toujours aussi attaché à ses valeurs immortelles et aussi résolu! En avant, vers des conquêtes pacifiques nouvelles! GLOIRE A NOS PIONNIERS!

Horace McClurr reçut un coup violent sur la tête et se tourna avec indignation vers son voisin.

— Vous ne pouvez pas faire attention, imbécile ? hurla-t-il, avec une fureur où toute sa longue patience et son désarroi devant tout ce qui lui arrivait se libéraient soudain. Et qu'est-ce que vous comptez faire, pauvre crétin, avec votre maudite canne de golf, dans l'état où vous êtes et au fond de l'eau, puis-je vous le demander ?

Stanley Kubalik, qui traînait obstinément entre ses pinces une canne de golf, lui jeta un regard méprisant.

— Mon psychanalyste m'a conseillé d'emporter avec moi dans le nouvel élément quelque objet familier, pour ne pas me sentir trop dépaysé, du moins au début. Ça vous gêne ? Mettons que j'emporte ma canne de golf pour des raisons sentimentales. Après tout, le Président vient de dire que nous devons rester fidèles à nos valeurs traditionnelles, non ? Il faut bien s'accrocher à quelque chose de sûr. Et ce n'est pas ma faute si vous empêchez tout le monde d'avancer, espèce de vieille tortue!

— Messieurs, Messieurs, ne nous disputons pas! cria le pasteur Bickford, qui courait de travers, en claudiquant : deux de ses pattes tenaient chacune un exemplaire de la Bible spécialement imprimée sur plastique à l'usage des pionniers. Restons unis, mes amis; restons unis! N'avons-nous pas tous gardé les mêmes cerveaux ? Quelles que soient les formes étranges de nos membres, n'avons-nous pas gardé les mêmes mains ? Nos cordes vocales nous font-elles défaut ? Quelle preuve plus évidente nous faut-il pour nous convaincre que la Providence divine veille toujours sur nous ? Nous avons une mission sacrée à remplir et...

— Quand vous aurez fini, pasteur, de me fourrer votre tube digestif dans l'œil! grogna Horace McClurr.

— Oh! je vous demande pardon.

— Il paraît d'ailleurs que les mains — les doigts, plus exactement — disparaissent déjà chez les jeunes, dit une espèce d'araignée qui courait à côté d'Horace McClurr et dans laquelle ce dernier eut quelque peine à reconnaître son ancien conseiller scientifique Mike Kaprovitz.

— Ce sont des rumeurs alarmantes et sans fondement! cria le pasteur Bickford. L'essentiel est de conserver notre confiance en l'homme intacte... Ce qui compte, ce n'est pas la carcasse, quelle qu'elle soit, c'est l'âme, c'est le souffle sacré qui l'habite...

— D'ailleurs, il n'est nullement dit que la disparition des mains et de l'intelligence signifierait la fin du monde libre, affirma un crabe rose qui traînait entre ses pinces un portrait inoxydable d'Abraham Lincoln, et qui se frayait un chemin parmi les pionniers en grimpant sur les uns et les autres, avec un manque total d'égards pour son prochain. Nous en avons vu bien d'autres!

Horace McClurr s'apprêtait à lui décocher quelque propos bien acéré lorsqu'il sentit soudain sous son ventre une fraîcheur délicieuse qui le calma instantanément : il était arrivé dans l'eau. Il nagea un instant paresseusement. Billy avait naturellement disparu. Horace McClurr regarda autour de lui avec une certaine appréhension : il y avait une quantité considérable de formes étranges et assez suspectes. Les éléments avancés russes pouvaient parfaitement s'emparer du petit pour l'endoctriner. D'un autre côté, il était tout de même peu probable qu'ils fussent assez entreprenants pour s'aventurer si près des côtes américaines. Il remonta à la surface et glana distraitement quelques mouches. Un vide bienfaisant s'était fait dans sa tête; il s'enfonça doucement dans la vase et se laissa aller à une torpeur agréable et reposante.

— Empêchez-le tout de même de manger des mouches, dit le docteur, en sortant de la chambre du malade. Ce n'est pas très indiqué. Et ne le gardez pas dans son bain plus de dix minutes. Si on le laisse faire, il n'en sortira jamais. Si la Maison-Blanche téléphone, expliquez-leur que le patient est en pleine crise et qu'il n'est pas possible de se prononcer sur la forme finale que cela va prendre et quand...

— Un si grand homme! dit l'infirmière, en soupirant. Et qui avait de telles responsabilités... Que faudra-t-il dire à sa femme ?

— Dites que son organisme est très éprouvé, mais que nous avons bon espoir. Il ne se fixera pas avant quinze jours. Ces mutations brusques sont presque toujours désastreuses du point de vue psychique. A propos, demandez au docteur Stein de me réserver un moment aujourd'hui. J'ai une nouvelle éruption d'écailles sur le côté gauche et je suppose qu'il faut prendre quelques précautions.

Signalez-lui aussi que le cinquante-six a une mue très difficile, avec dissymétrie des nageoires et un durcissement à mon avis prématuré de la carapace : il faudra sans doute opérer.

— Quelle époque! murmura l'infirmière.

— Oui, dit le docteur. L'humanité de papa, c'est fini.

DU MÊME AUTEUR

Aux Éditions Gallimard

LE GRAND VESTIAIRE, *roman* («Folio», *n° 1678*).

LES COULEURS DU JOUR, *roman.*

ÉDUCATION EUROPÉENNE, *roman* («Folio», *n° 203*).

LES RACINES DU CIEL, *roman* («Folio», *n° 242*).

TULIPE, *récit.* Édition définitive en 1970 («Folio», *n° 3197*).

LA PROMESSE DE L'AUBE, *récit.* Édition définitive en 1980 («Folio», *n° 373*).

JOHNNIE CŒUR. Comédie en deux actes et neuf tableaux.

GLOIRE À NOS ILLUSTRES PIONNIERS. [Les Oiseaux vont mourir au Pérou], *nouvelles.*

LADY L., *roman* («Folio», *n° 304*).

FRÈRE OCÉAN:

I. POUR SGANARELLE. Recherche d'un personnage et d'un roman, *essai.* («Folio», *n° 3903*).

II. LA DANSE DE GENGIS COHN, *romanll* («Folio», *n° 2730*).

III. LA TÊTE COUPABLE, *roman.* Édition définitive («Folio», *n° 1204*).

LA COMÉDIE AMÉRICAINE:

I. LES MANGEURS D'ÉTOILES, *roman* («Folio», *n° 1257*).

II. ADIEU GARY COOPER, *roman* («Folio», *n° 2328*).

CHIEN BLANC, *roman* («Folio», *n° 50*).

LES TRÉSORS DE LA MER ROUGE, *récit.*

EUROPA, *roman.*

EUROPA *précédé de* Note pour l'édition américaine d'EUROPA, traduit de l'anglais par Paul Audi, («Folio», *n° 3273*).

LES ENCHANTEURS, *roman* (« Folio », *nº 1904*).

LA NUIT SERA CALME, *récit* (« Folio », *nº 719*).

LES TÊTES DE STÉPHANIE, *roman*. Nouvelle édition en 1977 de l'ouvrage paru sous le pseudonyme de Shatan Bogat (« Folio », *nº 946*).

AU-DELÀ DE CETTE LIMITE VOTRE TICKET N'EST PLUS VALABLE, *roman* (« Folio », *nº 1048*).

LES OISEAUX VONT MOURIR AU PÉROU [Gloire à nos illustres pionniers], (« Folio », *nº 668*).

UNE PAGE D'HISTOIRE ET AUTRES NOUVELLES, extrait de LES OISEAUX VONT MOURIR AU PÉROU (« Folio 2 € », *nº 3759*).

CLAIR DE FEMME, *roman* (« Folio », *nº 1367*).

CHARGE D'ÂME, *roman* (« Folio », *nº 3015*).

LA BONNE MOITIÉ. Comédie dramatique en deux actes.

LES CLOWNS LYRIQUES, *roman*. Nouvelle version de l'ouvrage paru en 1952 sous le titre *Les Couleurs du jour* (« Folio », *nº 2084*).

LES CERFS-VOLANTS, *roman* (« Folio », *nº 1467*).

VIE ET MORT D'ÉMILE AJAR.

L'HOMME À LA COLOMBE, *roman*. Version définitive de l'ouvrage paru en 1958 sous le pseudonyme de Fosco Sinibaldi (« L'Imaginaire », *nº 500*).

L'ÉDUCATION EUROPÉENNE, *suivi de* LES RACINES DU CIEL *et de* LA PROMESSE DE L'AUBE. *Avant-propos de Bertrand Poirot-Delpech* (« Biblos »).

ODE À L'HOMME QUI FUT LA FRANCE ET AUTRES TEXTES AUTOUR DU GÉNÉRAL DE GAULLE. *Édition de Paul Audi* (« Folio », *nº 3371*).

LE GRAND VESTIAIRE. *Illustrations d'André Verret* (« Fututopolis/Gallimard »).

L'AFFAIRE HOMME (« Folio », *nº 4296*).

Dans la collection Écoutez lire

LA VIE DEVANT SOI (4CD)

Aux Éditions du Mercure de France
sous le pseudonyme d'Émile Ajar

GROS CÂLIN, *roman* (repris dans « Folio », *n° 906*).

LA VIE DEVANT SOI, *roman* (repris dans « Folio », *n° 1362* ; « La Bibliothèque Gallimard », *n° 102. Accompagnement critique par Domenica Brassel et Patrick Garcia*).

PSEUDO, *récit*.

L'ANGOISSE DU ROI SALOMON, *roman* (repris dans « Folio », *n° 1797*).

ŒUVRES COMPLÈTES D'ÉMILE AJAR. *Préface de Romain Gary* : « Vie et mort d'Émile Ajar » (Coll. « Mille Pages »).

Impression Novoprint
à Barcelone, le 29 novembre 2007
Dépôt légal : novembre 2007
Premier dépôt légal dans la collection: août 1975
ISBN 978-2-07-36668-2./ Imprimé en Espagne.